D0275220

afgeschreven

Bottenduider

www.biancamastenbroek.nl

Bottenduider

Bianca Mastenbroek

www.booksoffantasy.com

Eerste druk, augustus 2010

Omslagontwerp: Remco Nieboer
Omslagillustratie: Daisy van den Berg
Illustratie binnenwerk: Remco Nieboer
Vormgeving: Bianca Mastenbroek

Uitgever:
Books of Fantasy
Postbus 251
8260 AG Kampen
www.booksoffantasy.com

ISBN: 978-94-6086-016-4
NUR: 284

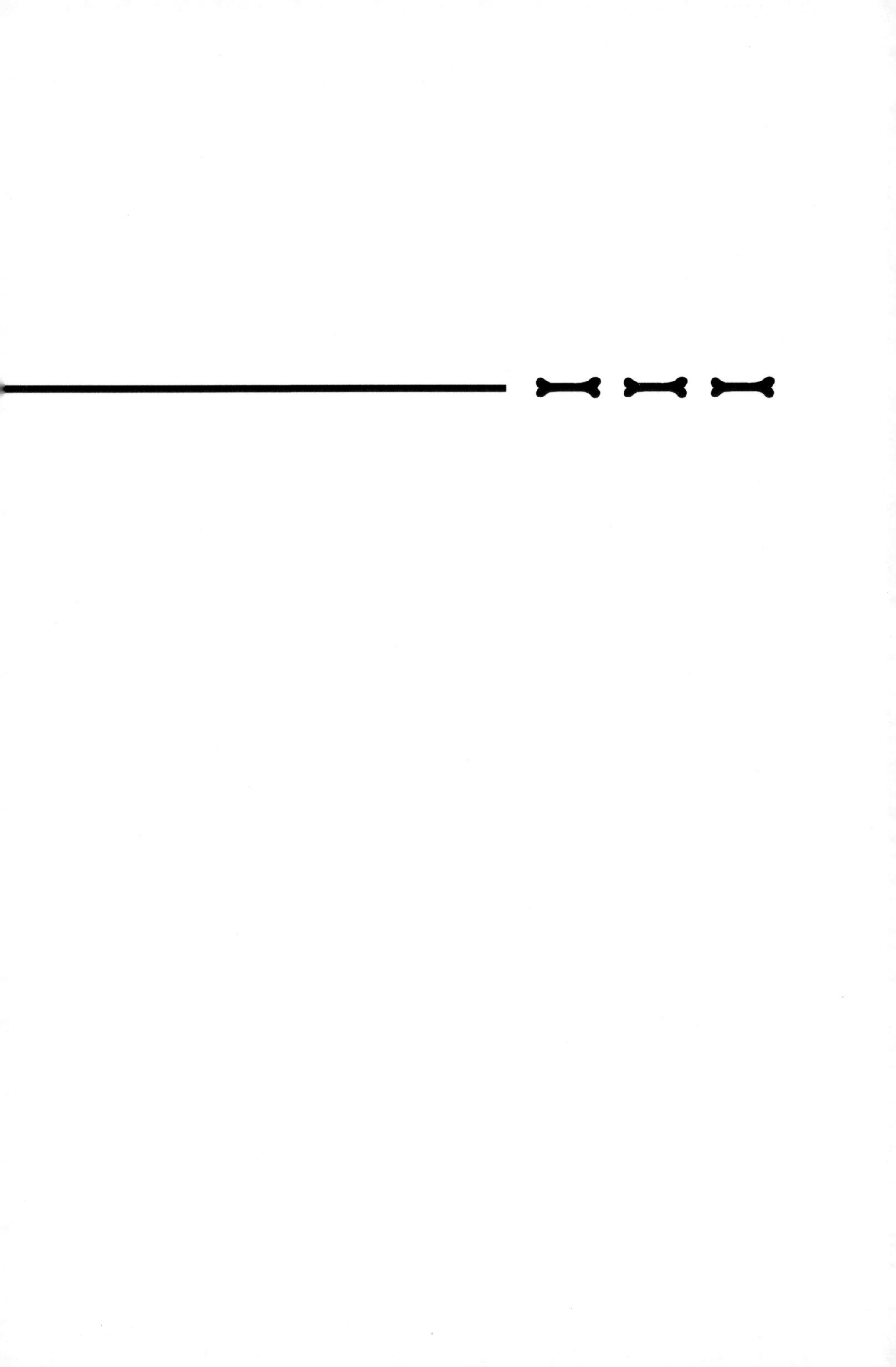

Koninkr
*** Vuurberg
Hertogdom Heggartus
Her
Dode Meer
Indor
Miya
Koninkrijk Raal

N
W
O
Z
DELHART
ERTOGDOM THEGENLAND
Imkar
M BAUENOLD
Akeli

HOOFDSTUK 1

Ajala holde door de gangen van het kasteel. Haar lichaam tintelde, alsof ze na een warm bad in de vrieskou had gestaan. De koning had háár laten roepen. Haar alleen. Ze wist zeker dat hij haar om advies zou vragen.

Terwijl ze rende, probeerde ze haar donkere krullen in bedwang te krijgen. Opsteken of in een vlecht? Nee, vlechten waren voor meisjes.

Voor de zware, houten deuren van de troonzaal vertraagde ze haar pas. Even rustig ademhalen. Wat moest de koning wel denken als ze hijgend de zaal binnenkwam?

'Goede Mirmana, jij die licht in het duister brengt, help mij de koning te dienen,' fluisterde ze.

Met opgeheven hoofd liep ze de troonzaal in, een imponerende ruimte met grote, ovale glas-in-loodramen die het eeuwenoude verhaal vertelden van de strijd tussen licht en donker. Marmeren pilaren reikten tot aan het hoge, gewelfde plafond en haardvuren brandden aan iedere zijde van het vierkante vertrek zodat het altijd overal behaaglijk was.

Vanuit haar ooghoeken gluurde Ajala naar de aanwezigen, die door de hele zaal verspreid stonden en druk in gesprek waren. Keken ze naar haar? Spraken ze over haar?

Nog nooit was ze zonder Odmund bij de koning geroepen. Waarom moest hij zo nodig op familiebezoek? In de drie jaar dat zij zijn leerling was, was hij nog geen dag weggeweest. Nu was hij al bijna een week weg. Odmund had gezegd dat zij er klaar voor was om hem te vervangen, maar dat moest ze wel waarmaken nu.

'Ajala, daar ben je,' zei Nitard, de lakei van de koning die haar tegemoet kwam lopen. Zijn hoofd leek op een verschrompelde tomaat. Hij glimlachte, maar zijn houding straalde afkeuring uit. De oudgediende leek niet gelukkig dat ze een meisje van vijftien om hulp moesten vragen.

Samen liepen ze naar een grote tafel waaraan de belangrijkste leden van het hof aan het beraadslagen waren. De tafel lag vol met paperassen. Aan het hoofd zat koning Adelhart. Een pezige man met een volle, donkere baard en snor en heldere, blauwe ogen. Hij droeg een smetteloos wit gewaad, afgezet met zilver, de kleur van Mirmana. Om zijn schouders hing een mantel van hermelijn. Een van de mantels die Ajala's moeder voor hem had gemaakt. Het was alweer drie jaar geleden dat haar ouders waren overleden, maar nog steeds voelde ze bij iedere herinnering een steek in haar hart. Nu niet aan denken, vermaande ze zichzelf.

Ze boog diep voor de koning en voor zijn broer Rotwardo, een magere man met donkere ogen en grijs doorschoten, donker haar. Ook hij droeg het koninklijke wit, alleen waren zijn kleren met donkerrode versieringen afgezet.

Nadat ze de strijdadviseur, de drie hertogen en Reinold, de raadsheer had toegeknikt, ging Ajala recht voor de koning staan. 'Hoe kan ik u van dienst zijn, hoogheid?' Haar stem trilde een beetje. Waar had ze toch last van? Ze had onder begeleiding van Odmund al tientallen duidingen gedaan voor de koning. Ze kende hem als een vriendelijke, goedlachse man. Waarom stond er dan zweet in haar handpalmen?

Koning Adelhart nam haar schattend op. Ajala voelde zich klein worden onder zijn onderzoekende blik. Zou hij haar te jong vinden? Ze kon het antwoord niet opmaken uit zijn neutrale gezichtsuitdrukking.

'We hebben verontrustende berichten gekregen uit het zuiden,' zei de koning. 'Sinds een paar weken zijn er schermutselingen in de bergen. Reizigers worden overvallen en zelfs gedood. De mannen van hertog Bauenold zijn op onderzoek uit geweest, maar vonden niets. Ik wil dat jij een duiding voor ons doet. Ik wil weten waar we mee te maken hebben en hoe we het kunnen oplossen.'

Ajala's hart klopte zo hard, dat het leek alsof er binnenin haar iemand op een trommel sloeg. Was Odmund maar hier! Moest ze in haar eentje zulke belangrijke informatie achterhalen? Ze mocht geen fouten maken. Wat als...

Doordat Nitard zijn keel schraapte, werd ze uit haar gedachten gehaald. 'Natuurlijk, hoogheid. Ik zal een duiding voor u doen. Nu meteen?' vroeg ze.

Soms wilde de koning dat de duidingen ter plaatse werden gedaan. Meestal liet hij de keuze aan de hofduider over en Odmund deed zijn werk het liefste in zijn werkkamer.

Ze hoopte dat ze zich mocht terugtrekken, dat ze rustig naar de antwoorden kon zoeken. Als ze de koning advies gaf, moest ze er heel zeker van zijn dat het het juiste was. Anders eindigde haar carrière als hofduider voordat die begonnen was.

'Ik denk dat mijn staf graag getuige wil zijn.' Koning Adelhart keek de tafel rond en de hofleden knikten enthousiast.

Ajala's schouders zakten in, maar ze trok ze direct weer recht. Ze kon dit best. Ze had eerder duidingen gedaan voor het oog van de halve hofhouding. Al ging het dan om vragen als: is het weer morgen goed genoeg om te gaan jagen, zal de strijdadviseur het toernooi winnen, wat is er aan de hand met de lievelingsvalk van de koning? Dit was iets heel anders. Hier konden levens van afhangen... Ze klemde haar handen op elkaar, zodat niemand kon zien dat ze trilden.

Nitards kuchje haalde haar opnieuw uit haar gedachten. Ze gedroeg zich onbeschoft: ze liet de koning wachten op antwoord.

'Hoogheid, ik ga direct de Botten halen. Zij zullen antwoord geven op uw vragen.'

'Jammer dat je ze niet bij je hebt,' wees de koning haar terecht.

Zijn woorden klonken vriendelijk, maar Ajala voelde de afkeuring. Ze kon zichzelf wel voor het hoofd slaan. Odmund had zijn Botten altijd bij zich als hij geroepen werd. Waarom had zij daar niet aan gedacht?

Met een afgemeten handgebaar gaf koning Adelhart aan dat ze kon vertrekken. Ajala draaide zich om en liep schoorvoetend weg. Ze had het gevoel dat alle aanwezigen haar nastaarden en dat er fluisterend over haar gesproken werd. Haar wangen gloeiden en ze wist zeker dat haar hoofd net zo rood was als dat van Nitard.

Net buiten de zaal voelde ze een hand op haar schouder. 'Ik loop een stukje met je mee,' klonk de zachte stem van Reinold. Hij duwde haar vooruit.

Ajala wist niet wat ze moest zeggen. Wat zou de raadsheer van haar willen? Reinold werd door iedereen *de weetal* genoemd, omdat hij altijd alles wist over iedereen.

Toen ze buiten gehoorsafstand waren van de wachters die voor de troonzaal stonden, liet Reinold haar schouder los. Hij boog voorover en fluisterde: 'Helaas kan dit niet wachten tot Odmund terugkomt. Luister goed: wij kunnen geen roddels over oorlog of de Deemster Vorst gebruiken. Dus wat er ook uit je duiding komt, daar heeft het niet mee te maken. Begrijp je mij?'

Ajala sloeg haar ogen neer. Haar hart bonsde in haar keel. Reinold vroeg haar te liegen. Dat kon toch niet? Odmund had haar geleerd dat je een duiding op verschillende manieren kon interpreteren, maar over liegen had hij nooit gesproken. Ze kon zich ook niet herinneren dat hij ooit duidingen – opzettelijk – verkeerd had uitgelegd. Waarom vroeg Reinold dit van haar? Was het een test?

'Maar...' stamelde ze.

'Er is geen tijd voor discussie. Jij hebt gezworen de koning te dienen. Daarom verwachten wij dat je onder geen beding de woorden *oorlog* of *het kwaad* noemt. Is dat duidelijk?' Zijn grijze ogen boorden zich in de hare.

Ajala bestudeerde haar handen. Ja, ze had koning Adelhart trouw gezworen. Maar wat had hij aan leugens?

'Ajala?' Er klonk ongeduld in de stem van Reinold.

'Ik heb het begrepen,' zei ze hees.

'Goed zo, meisje. Ga maar snel je spullen halen.'

Ajala zette ze het op een rennen, alsof ze daarmee haar gedachten kon ontlopen. Maar de vragen holden net zo hard met haar mee. Wat moest ze doen? Haar eerste duiding voor de koning zonder hulp van Odmund. En dan werd haar gevraagd te liegen! Was dit de wens van de koning? Of was dit wat Reinold wilde?

Ze wilde het goed doen. Ze wilde dat Odmund trots op haar zou zijn. Maar wat moest ze doen als de duiding oorlog aangaf? Wat als het kwaad zich roerde? Dan was het toch beter als iedereen op de hoogte was? 'Mirmana, laat de Botten niet op oorlog of op de Deemster Vorst wijzen,' prevelde ze.

De werkkamer van Odmund bevond zich in een van de vier torens van het kasteel en besloeg de hele bovenverdieping van de toren. De houten vloerpanelen kraakten toen ze binnenkwam. In het dak zat een groot raam, waardoor de kamer overdag baadde in het zonlicht en 's nachts in een mysterieuze, zilveren gloed. Misschien zou dit ooit haar kamer worden. Als ze de koning niet teleurstelde.

Tegen de noordelijke wand stonden drie hoge kasten die de hele muur en zelfs het raam bedekten. Eén kast was gevuld met boeken en paperassen over het duiden en de hulpmiddelen die gebruikt werden, de Voorspellers. In de tweede kast lagen vooral gebruiksvoorwerpen. Ajala liep naar de derde kast. Daar lagen Odmunds Voorspellers en zijn legdoeken. Ze pakte de fluwelen, witte zak met Botten en de legdoek uit de kast. De Botten rammelden, alsof ze haar verwelkomden. Ze glimlachte naar de zak. Ze had al zo vaak met Odmunds Botten gewerkt dat ze aanvoelden alsof ze van haar waren. Zelf had ze nog geen Botten. In de drie jaar dat ze leerling was bij Odmund had ze met alle Voorspellers leren werken. Ze had al haar eigen Munten, Dobbels en Kaarten gemaakt. Maar Botten kon je niet maken. Volgens Odmund kwamen die naar je toe zodra je er klaar voor was.

Gehaast verliet ze de torenkamer en rende terug naar de troonzaal. Ze voelde zich zekerder nu ze de Botten bij zich had.

In de troonzaal hadden alle aanwezigen zich al verzameld rondom de tafel. Ongevraagd maakten ze plaats voor haar. Ze hield haar hoofd recht en stak haar borst vooruit, liep tussen de mensen door en nam haar plek aan de tafel in.

Er leek een enorm gewicht op haar schouders te rusten. De hele hofhouding zou toekijken hoe zij de Botten ging werpen en lezen. Ze kneep in de fluwelen zak om de geruststellende vormen onder haar vingers te voelen.

Ze schudde het drukkende gewicht van zich af en rechtte haar schouders. Ze boog licht voor koning Adelhart en spreidde de ruitvormige legdoek uit over de tafel. 'Ik ben er klaar voor, hoogheid.'

De koning knikte slechts.

Ajala ademde een paar keer diep in en uit. Als vanzelf verdwenen alle aanwezigen naar de achtergrond en vervaagden in een magische mist. Al wat overbleef waren de Botten. Ze zongen naar haar, smeekten haar hen te bevrijden, juichten haar toe om hen te gebruiken.

Ze knoopte het zilveren touw dat de kwade macht weghield los en schudde de zak. In gedachten herhaalde ze de vragen van de koning. Wat is er aan de hand in de bergstreek in het zuiden? Hoe kan het probleem opgelost worden?

Ze bracht haar hand boven de tafel en ontspande haar vingers. De Botten kletterden over de legdoek, naar de juiste positie om haar van antwoorden te voorzien. Sommige Botten schoven over de rand van de doek op tafel of vielen op de grond.

Ajala boog voorover om de patronen van de Botten op de legdoek te bekijken. Als eerste ging ze op zoek naar het kwaad, naar het zwarte Okeshbot. Het was aanwezig! Ajala fronste haar wenkbrauwen. Het Bot lag op de rand van de legdoek, er half buiten. Zoiets had ze nog nooit gezien. Was de Deemster Vorst wel of niet aan het werk?

Ze zocht verder. Het Innukibot gaf aan dat er groot gevaar dreigde en volgens het Reiigsbot ging het om een belangrijk persoon. Daarnaast lag het Bot dat de zuidelijke windstreek representeerde. Die drie Botten wezen zonder twijfel naar hertog Bauenold. Toch ging ze op zoek naar het Bot van de Verselle, de koning der vogels. Ook dat lag zo raar half buiten de legdoek. Speelde de koning nu wel of geen rol in dit verhaal? Wat was er met deze duiding aan de hand? Botten hoorden niet half buiten de legdoek te liggen.

Ze bestudeerde de ligging van alle Botten. Hun onderlinge positie vertelde het hele verhaal. Naast de Botten die wezen op hertog Bauenold, lag een Bot dat ze liever niet zag. Ankash, de dood. Recht daaronder het stervormige Bot van de Homijn, dat aangaf dat het om veel personen ging. Veel mensen zouden sterven...

In het bovenste kwartier van de legdoek lagen de beslissende factoren. Het Kinnabot? Water? Hoe vreemd het ook leek, water zou tot de dood leiden.

Gelukkig lagen er ook Botten in het onderste kwartier. Ze kon koning Adelhart een oplossing voor de problemen geven. Eerst plantte ze de details in haar geheugen. Ze moest deze duiding met Odmund bespreken. In het centrum van de legging was alles duidelijk. Zoals het hoorde, hadden de Botten daar geen geheimen voor haar. De rand van de legdoek maakte Ajala bang. De binnenkant voorspelde niet veel goeds voor de hertog, maar de buitenste rand duidde op iets vreselijks, iets groots en afschuwelijks. Ajala voelde het in haar hele lijf. De Botten in de buitenste rand brachten chaos en verwarring, leken niets met de vragen van de koning over de problemen in het zuiden te maken te hebben.

Ajala hield haar hand boven Okesh. Een rilling gleed door haar heen, alsof ze werd aangeraakt door het kwaad. Snel haalde ze haar hand weg. Later zou ze hier beter naar kijken. Nu moest de koning antwoord krijgen op zijn vragen.

De magische mist verdween. Een voor een verschenen de aanwezigen: de koning, zijn adviseurs, de hertogen en alle mensen die in cirkels om hen heen stonden. Kleren schuurden, voeten schuifelden, kelen werden geschraapt, een hoest onderdrukt. Ajala was weer terug. Voordat ze sprak, herinnerde ze zich de dreigende woorden van Reinold. Ze mocht de Deemster Vorst niet noemen. Ze haalde diep adem en zei: 'Hoogheid, er dreigt gevaar in het zuiden. Voor zover ik kan opmaken, zijn de schermutselingen gericht tegen het huis van hertog Bauenold. Als er geen einde wordt gemaakt aan de problemen, voorspel ik een gruwelijke tijd voor het hele hertogdom.'

Ajala verlegde haar aandacht naar hertog Bauenold. Een man met een hoekig gezicht, kort, stekelig, donker haar en een neus die gebogen was als de snavel van een krombek. Ondanks zijn strenge uiterlijk was hij een vriendelijke man. De meeste tijd bracht hij door in zijn hertogdom, maar als hij hier was, sprak hij niet zonder na te denken en ze had hem nog nooit zijn stem horen verheffen. Hij keek haar kalm aan.

'Heer Bauenold, ik moet u waarschuwen. Pas op voor water.'

De wenkbrauwen van de hertog schoten omhoog. Toch onderbrak hij haar niet.

'De Botten zeggen dat u met uw mannen de bergen in moet om het probleem op te lossen. U staat tegenover menselijke tegenstanders, u hoeft niet te vrezen voor magie. Maar kijkt u alstublieft uit voor water.'

De hertog knikte. 'Dank je, Ajala. Ik zal je raad ter harte nemen. Ik ben blij dat het mee lijkt te vallen.'

Ze schudde fel haar hoofd. 'Als de bron van dit gevaar niet wordt vernietigd, zal het niet meevallen, heer Bauenold. Niet alleen u, maar alle mensen in uw hertogdom lopen gevaar.'

Weer knikte de hertog, zijn blik was gericht op iets achter haar, alsof hij nadacht over haar woorden. 'Nogmaals mijn dank, Ajala.' Het klonk alsof hij haar bedankte voor het aanprijzen van een goede wijn.

Geloofde hij haar niet? Moest ze nog duidelijker zijn dan *een gruwelijke tijd*? Ze had de hertog alles verteld wat ze wist. De rest was aan hem. 'Kan ik nog iets voor u betekenen?' Ze richtte zich tot koning Adelhart. 'Of voor u, hoogheid?'

'Nee, Ajala. Wij zullen je woorden in overweging nemen en onze plannen erop afstemmen,' zei de koning.

'Dank u, hoogheid.' Nog eenmaal wierp ze een blik op de legdoek. Ze had de precieze ligging van ieder Bot goed in haar hoofd geprent. Ze verzamelde alle Botten en borg ze op in de zak. 'Met uw toestemming vertrek ik nu.'

'Ik zou het fijn vinden als je samen met ons de avondmaaltijd wilt gebruiken.' De koning lachte zijn vaderlijke lach, maar zijn verzoek was een bevel.

Ze boog licht terwijl ze haar kiezen op elkaar klemde. Ze wilde zo snel mogelijk een nieuwe duiding doen, er was iets vreselijk mis. Moest ze nu hier haar tijd verdoen?

Hij boog voor Adelhart, zoals hij al zijn hele leven deed. Naar die zielige man met zijn verraderlijke blauwe ogen, de lippen in een valse glimlach, de handen die nooit arbeid verricht hadden, gevouwen om een bokaal rode wijn. Omringd door zijn hofhouding, allemaal kruipende wormen, die lachten als koning Adelhart lachte en die opsprongen als hij dat van hen vroeg.

Adelhart knikte. Hij had toestemming om te vertrekken. Hij perste er een glimlach uit en mompelde: 'Nog een prettige avond, hoogheid.' Gejaagd verliet hij de troonzaal. Zijn voetstappen weergalmden op de marmeren plavuizen terwijl hij naar zijn privévertrekken beende.

Het ging niet goed! Na al die jaren van voorbereidingen schopte een kind zijn plannen in de war. Net nu alles samen kwam en zijn wraak dichtbij was.

Toen de koning Ajala gevraagd had om een duiding te doen, had hij zich geen zorgen gemaakt. Wat kon een meisje van vijftien nou betekenen? Meer dan waarop hij gerekend had. Ze had hertog Bauenold gewaarschuwd voor het gevaar. Gelukkig wist het kind niet half waarover ze het had. Hij had er goed aan gedaan om een gedeelte van zijn plan door een ander te laten uitvoeren. Zelfs de Botten wisten niet waar het daadwerkelijk om draaide. Alles wees in de richting van zijn werktuig Walbert en niet naar hem.

Toch zinde het hem niet dat de hertog de bergen in zou trekken op zoek naar Walbert. Wat als Walbert zich niet aan de afspraken hield en de hertog zou vermoorden? Walbert haatte de hertog net zo hartgrondig als hij de koning. Zou Walbert zich laten verleiden tot directe wraak in plaats van te wachten op de geraffineerde manier die hij bedacht had? En wat als de hertog Walbert zou tegenhouden?

Nee, niet doemdenken. Walbert is volledig in mijn macht,

al denkt de man dat hij uit zichzelf handelt. En voor de hertog vind ik wel een oplossing.

Zijn donkerrode mantel golfde achter hem aan op weg naar zijn vertrekken. De kille gangen koelden zijn verhitte humeur.

Laten ze zich maar concentreren op de problemen in het zuiden, dacht hij. Dan had hij hier vrij spel. Hij zuchtte. Nog één maan, dan zou de wereld gerechtigheid kennen. Dan zou iedere worm kruipen en smeken of onder zijn hak verpletterd worden.

In zijn vertrek liet hij zijn mantel van zich afglijden. Het voelde bevrijdend, alsof hij zich daarmee ook ontdeed van het masker dat hij op moest houden. Het haardvuur brandde en de olielampen waren aan. De kamermeisjes wisten dat hij als een van de eersten het diner verliet. Ze wisten ook dat hij de rest van de avond door niemand gestoord wilde worden.

Hij blikte uit het raam. Een wolkenloze, donkere sterrenhemel. Hij glimlachte. Zijn Heer had die onbenullige maangodin weer weten te verdrijven, zoals hij iedere vier weken deed. Vannacht was zijn kracht voelbaar.

Hij ging aan de slag om de problemen op te lossen. Niets mocht zijn wraak in de weg staan.

HOOFDSTUK II

De les duurde eeuwig. In Mirons verbeelding had meester Boldman al honderd keer gezegd dat ze konden gaan. In werkelijkheid praatte de man maar door over de geschiedenis van het koninkrijk, welke hertog met welke gravin getrouwd was en waarom. Alsof Miron dat iets kon schelen.

Lanzo leek ook niet geïnteresseerd. Af en toe blies de hertogszoon zijn blonde, sluike haar uit zijn ogen terwijl hij naar de prinses staarde die onderuitgezakt in haar stoel hing. Ze zat te knikkebollen en haar hoofd wankelde gevaarlijk heen en weer, alsof het er ieder moment af kon vallen. Miron glimlachte. Hij glimlachte de laatste tijd wel vaker, als hij de prinses zag. Net als Lanzo.

De enige die wel naar meester Boldman leek te luisteren, was de kroonprins. Hij zat met een koninklijk rechte rug, zijn hoofd geheven, zijn uitstekende kin trots vooruit. Voor hem was het vast belangrijk dat hij wist wie er vijftig jaar geleden over de hertogdommen regeerden.

'Waarom kon hertog Heggartus niet met de gravin van het huis Onoki trouwen, Lanzo?'

Lanzo keek pas bij het horen van zijn naam op. 'Hmmmm?'

Miron moest op zijn tanden bijten om niet in lachen uit te barsten. Het chagrijnige gezicht van meester Boldman was te leuk. Had die droogkauwer nu pas door dat alleen de kroonprins luisterde?

'Ik wacht op uw antwoord...' zei meester Boldman terwijl hij met zijn aanwijsstok op zijn lessenaar tikte.

Lanzo ontweek de blik van de meester en keek naar Miron voor hulp. Miron krabbelde snel het woord *onvruchtbaar* in zijn schrift en simuleerde een hoestbui terwijl hij zijn schrift naar Lanzo schoof.

Grijnzend keek Lanzo meester Boldman aan. 'Omdat de gravin geen kinderen kon krijgen, meester. Daardoor zou de opvolging van de hertog in gevaar komen, wat tot onrust bij de bevolking zou leiden.'

Meester Boldman knikte Lanzo toe. 'Heel goed. Wie weet met wie de hertog wel is getrouwd?'

Het verbaasde Miron niet dat de vinger van prins Willeman omhoog schoot. Zelf wist hij het antwoord ook, maar hij zat er alleen om Lanzo met zijn huiswerk te kunnen helpen. Net als de pages van de koningskinderen volgde hij iedere les zodat hij kon dienen als levend naslagwerk.

Terwijl prins Willeman antwoordde, vlogen Mirons gedachten als een vogel door het open raam naar buiten, over de binnenplaats en over de hoge muren. Weg uit het verstikkende kasteel met regels en verplichtingen. Over de velden en de landen, voorbij de bergen naar onbekende streken.

'Voor vandaag is het genoeg. Ik wil dat jullie dit hoofdstuk voor morgen bestuderen,' zei meester Boldman.

Met een plof klapte Miron zijn boek dicht. Zo slaperig als zijn klasgenoten tijdens de les waren geweest, zo levendig werden ze bij het horen van de laatste woorden van de meester. Prinses Amitha sprong van haar stoel en sprintte weg. Haar lange haren wervelden als een donkere waterval achter haar aan.

'Niet rennen,' zei meester Boldman met een zucht. 'Dat past een prinses niet.' Iedereen wist dat hij dat alleen voor de vorm zei. De prinses rende altijd!

Haar page, een verlegen meisje dat nooit een woord uit zichzelf sprak, haastte zich naar de deuropening. Het was niet de bedoeling dat prinses Amitha alleen door de gangen liep, maar zoals altijd had ze alweer een flinke voorsprong.

'Hè, hè,' zei Lanzo met een lach van oor tot oor, 'van die droogkloot zijn we weer verlost. Snel naar de oefenvelden.' Als het aan Lanzo lag, bracht hij de hele dag op de oefenvelden door. Hij wilde de beste ridder van het koninkrijk worden.

'We moeten voor de zwaardlessen nog bij je vader langs,' herinnerde Miron hem.

Nieuwsgierig liepen ze naar de vertrekken van Lanzo's vader, hertog Bauenold. Wat wilde de hertog bespreken? Zouden ze straf krijgen? Miron had geen idee.

Alle drie de hertogen hadden eigen vertrekken in de westvleugel van het kasteel, aangezien ze vaak een overleg, toernooien of andere plechtigheden bijwoonden. De gangen naar de westvleugel hingen vol kleurige wandkleden met afbeeldingen van de helden van het koninkrijk. Miron kon ademloos staren naar de ridders in hun volle wapenrusting, de wijze koningen die vanaf hun troon regeerden en de koningen die meevochten op het slagveld. Soms droomde hij dat hij tot de vertrouwelingen van zo'n koning behoorde of dat hij de ridder was die vooraan reed met de koninklijke banier in zijn hand. Al vanaf zijn jeugd speelde hij met Lanzo riddertje en fantaseerden ze over heldendaden. Maar voor pages was geen plaats in de verhalen of op de wandkleden. Hij zou nooit méér worden dan het roodharige hulpje met sproeten van Lanzo.

Een van de soldaten uit de garde van de hertog stond keurig in de houding voor de deur. Hij droeg een bruin met wit wambuis, glimmend gepoetste beenplaten en een bruine helm waarvan het vizier open was. 'Jongeheer Lanzo,' begroette hij de hertogszoon.

Lanzo klopte de soldaat op zijn arm en liep de vertrekken van zijn vader in. De hertog zat in zijn werkvertrek over een stapel papieren gebogen. 'Hallo vader, hier zijn we,' kondigde Lanzo hen aan.

De hertog keek hen onderzoekend aan met zijn blauwe ogen. Zijn enorme neus fascineerde Miron nog steeds.

'Dag jongens, ga zitten.'

Miron ontspande. De hertog klonk niet boos of geïrriteerd. Geen moeilijkheden dus.

'Lanzo, zoals je weet zijn er problemen in de bergen. Op verzoek van de koning heeft Ajala een duiding gedaan...' De hertog liet een korte pauze vallen. 'Ik zal met een groep soldaten de bergen intrekken om de dreiging, die niet tegen het koninkrijk maar tegen mij persoonlijk is gericht, te bestrijden.'

'Persoonlijk? Bent u in gevaar, vader? Wat kan ik doen?' Lanzo klonk zowel ongerust als strijdvaardig.

Ook Miron maakte zich zorgen. Wat als er iets met de hertog gebeurde? Kon hij niet beter hier blijven?

'Ik wil dat jij met me meegaat,' antwoordde de hertog.

Mirons zorgen verdwenen op slag. Ze zouden het kasteel verlaten! Meegaan op een belangrijke missie. Geen droge lessen of oefeningen meer, maar het echte werk.

Lanzo's ogen fonkelden. 'Vader,' riep hij, 'dat is geweldig! Wanneer vertrekken we? Wie gaan er mee? Wie moeten wij van ons land verjagen?'

De hertog glimlachte naar zijn zoon. 'Veel is nog onzeker. Volgens Ajala staan we tegenover een magieloze vijand en staat de toekomst van ons hertogdom op het spel. We mogen de vijand niet onderschatten.'

Lanzo glunderde, hij leek de laatste woorden van de hertog niet te horen. Maar Miron had ze wel gehoord. De toekomst van het hertogdom was in gevaar. Dus Lanzo ook!

Mirons wangen gloeiden van de spanning. Ze mochten mee op missie. En wat voor een! Zou de hertog inzien dat ze geen kinderen meer waren? Veertien manen geleden had hij zijn zoon naar het kasteel van de koning gestuurd om het leven aan het hof te leren kennen. Aan het eind van de maan werd Lanzo vijftien en zou hij officieel in de leer gaan bij een ridder. Miron had nooit verwacht dat ze voor die tijd al een kans zouden krijgen om zichzelf te bewijzen.

'Wanneer gaan we, vader?' Lanzo zat op het puntje van zijn stoel.

'Er moeten nog veel voorbereidingen worden getroffen: de groep moet worden samengesteld, de wapens moeten worden geslepen, reisproviand en voldoende water voor iedereen moet worden ingepakt... Vanavond heb ik beraad met de strijdadviseur van de koning en verwacht ik het laatste nieuws uit de bergen. Op basis van die informatie zal ik een plan maken. Ik denk dat we morgen in de loop van de middag vertrekken.'

'Hoelang blijven we weg? Dan weet Miron wat hij allemaal moet inpakken.' Met een grijns draaide Lanzo zijn gezicht naar Miron.

Miron probeerde de hertogszoon onder de stoel een schop te verkopen. Hij was een page, geen kamermeisje!

'Jongens...' zei de hertog.

Snel gingen ze weer rechtop zitten.

'Zorg ervoor dat je voldoende warme kleding meeneemt, het is koud in de bergen. Overleg met Wulfar welke wapens hij geschikt acht voor jullie. Het is de bedoeling dat jullie je in het ergste geval kunnen verdedigen en niet jezelf of een ander verwonden.'

'Vader!' riep Lanzo verontwaardigd uit. 'Wat denkt u wel niet van mij? Ik ben de beste leerling van Wulfar. Ik ga niet in de verdediging. Aanvallen zal ik!'

Lanzo zou zichzelf wel redden op het slagveld, hij was handig met alle wapens. In zichzelf had Miron minder vertrouwen. Zijn zwaard was alleen per ongeluk gevaarlijk. Het kwam altijd ergens anders terecht dan hij bedoelde.

Ik zal extra goed gaan oefenen, dacht Miron. Wat als Lanzo mijn hulp nodig heeft? Op het slagveld ben ik de slechtste page ooit.

'Laat ik heel erg duidelijk zijn,' sprak de hertog op een toon die aangaf dat het hem ernst was. 'Jullie mogen mee om te leren en te observeren. Meer niet. Onder geen beding wordt er door jullie gevochten.'

Lanzo trok een pruillip. 'Maar vader...'

'Niets te maren. Dit is de afspraak, anders blijven jullie thuis. Je bent nog geen vijftien, dus je mag blij zijn dat je mee mag.'

Snel trok Lanzo zijn pruillip in. 'We gaan mee, natuurlijk! Ik zal doen wat u zegt.'

Aan de twinkeling in Lanzo's ogen zag Miron dat hij dat helemaal niet van plan was. Lanzo wilde een held worden en nu kreeg hij de kans. Dan ging hij echt niet van een afstand staan toekijken. Het maakte Miron niet uit, ze zouden op avontuur gaan!

'Dan stel ik voor dat jullie nu naar de oefenvelden gaan.'

'Vader, mag ik vanavond bij het beraad aanwezig zijn?'

De hertog roffelde met zijn vingers op het tafelblad. 'Daar zal ik over nadenken. Je hoort het wel.'

'Ik denk dat ik daar heel veel van kan leren, vader.'

Miron glimlachte. Hoe kon de hertog nu nog weigeren?

'Goed,' zwichtte de hertog, 'jullie mogen erbij zijn. Zolang we geen last van jullie hebben. Ik wil geen woord horen en jullie blijven op de achtergrond.'

Lanzo lachte van oor tot oor. 'Dank u, vader. Ik zal u niet teleurstellen.'

Voor een moment leken de hoekige lijnen in het gezicht van de hertog ronder en zachter te worden. 'Dat weet ik,' zei hij, waarna zijn gezicht weer de vertrouwde strengheid kreeg. 'En nu wegwezen jullie.'

Ze groetten de hertog en vlogen zijn kamer uit. Samen holden ze door de gangen, tot ze buiten gehoorsafstand van de wacht waren.

'We gaan op avontuur!' Lanzo deed een rondedans door de gang. 'We gaan heldendaden verrichten!' Hij pakte Mirons arm en trok hem mee in het rond. 'Lanzo de Grote.'

Miron straalde. 'Lanzo de Geweldige. Of Lanzo de Sterke. Samen met zijn page trok hij de bergen in en verjoeg de misdadigers van zijn land.'

'Laat vader maar denken dat we niet mee zullen doen.' Lanzo hield op met dansen. Denkrimpels verschenen in zijn voorhoofd en hij mompelde: 'Misschien moet ik Ajala vragen of ze een duiding voor me wil doen.'

Ajala, dacht Miron terwijl hij huiverde. Haar ogen waren zo donker dat ze bijna zwart leken. Alsof niet Ajala maar de Deemster Vorst vanuit die donkere poelen de wereld inkeek. 'Het avontuur vindt ons wel, daar hebben we geen voorspelling voor nodig.'

'Misschien heb je gelijk. Ik ben zo blij!' Lanzo danste weer in het rond.

'Als we niet opschieten, ben je straks niet meer blij. Als we te laat zijn bij Wulfar loop je ook rondjes, maar dan in looppas.'

Lanzo schaterde het uit maar liep wel in de richting van de oefenvelden, die achter het kasteel lagen. Net voordat ze naar buiten wilden lopen, kwamen ze Ajala tegen. Een rilling gleed langs Mirons rug, als een ijskoude druppel water.

Hij dwong zichzelf haar aan te kijken, naar die donkere ogen met de lange wimpers. Ze had een woeste bos lang haar, een wipneusje en een mond die altijd glimlachte. Ze droeg een simpele, gele jurk, afgezet met donkergroen fluweel. Om haar hals hing een ketting: een halve maan met daarboven een volle maan, het teken van Mirmana.

'Hoi Lanzo en Miron. Gefeliciteerd met jullie missie.' Ajala lachte.

'Hoe weet jij dat nou? Wij weten het net.' Lanzo schudde zijn hoofd van verbazing.

'Ik ben niet voor niets een duider, ik hoor alles te weten,' zei ze met een lach in haar stem.

'Ja, dag! Jij bent Odmund niet!' zei Lanzo.

'Ik heb het toevallig opgevangen,' zei ze. 'Ik ben gekomen om jullie te waarschuwen. Ik heb gezien dat er gevaar dreigt voor de hertog. Hoe vreemd het ook klinkt, het gevaar komt van water. Ik ben bang dat de hertog mijn waarschuwing niet serieus neemt, daarom vertel ik het jullie. Kijk uit voor water.'

Haar stem klonk zo dreigend dat Miron ieder woord geloofde.

Lanzo wuifde met zijn hand, alsof hij een nare lucht probeerde weg te wuiven. 'Maak je maar geen zorgen, Ajala. Voor een beetje water zijn wij niet bang.'

Ajala's blik werd nog duisterder. Ze greep Lanzo's arm. 'Denk je dat ik grapjes maak? Dat je een waarschuwing van de Botten zomaar naast je neer kan leggen? Luister naar mij! Kijk uit voor water.'

Zonder op antwoord te wachten, draaide ze zich om en liep weg. Miron schudde zijn hoofd en hoopte dat de benauwde lucht om hem heen zou verdwijnen.

Lanzo staarde naar de lege plek waar Ajala net nog gestaan had. 'Die heeft een duiding te veel gedaan. Denkt zeker dat ze belangrijk is nu Odmund weg is. Kijk uit voor water...'

'Ik weet het niet,' zei Miron. Dat benauwde gevoel wilde maar niet weggaan.

'Kom op, zeg. Maak je niet druk!' Lanzo sloeg hem op zijn schouder. 'Ik stel voor dat we doorlopen, anders moeten we ons straks wel druk maken.' Hij grijnsde.

Hij balde zijn vuisten. Alles leek mis te gaan.

Vol trots had heer Bauenold verkondigd dat zijn zoon met hem mee zou gaan. Lanzo en de page. Weg uit de veiligheid van het kasteel. Wat bezielde de hertog? Die lichtaanbidder bedierf alles met zijn stomme plan.

Hij had nog geprobeerd de hertog op andere gedachten te brengen. Had hem gewezen op de gevaren van een dergelijke missie. Natuurlijk luisterde de hertog niet naar zijn goede raad.

Hij knarsetandde. De plannen moesten doorgaan. Voor het einde van de maan had hij duizend zielen nodig voor zijn Heer.

Hij had Walbert al gewaarschuwd dat de hertog eraan kwam. Nu moest hij een tweede boodschap sturen. Wat er ook gebeurde, de jongen mocht niets overkomen, dat zou hij Walbert haarfijn duidelijk maken. Maar dan waren er nog de onvoorziene gevaren van een bergtocht. Wegglijdende rotsblokken, een op hol geslagen paard, hongerige wilde dieren...

Hij ijsbeerde door zijn vertrek. Hij voelde zich rusteloos, net zo gehaast als het gepeupel dat hij vanuit zijn raam over de binnenplaats heen en weer zag rennen.

Wat moet ik doen? Meegaan om een oogje op de jongen te houden en de hertog op een dwaalspoor te brengen? Dan nog kunnen er allerlei ongelukken gebeuren... Er mag niets, helemaal niets gebeuren met het kind.

Voor het eerst voelde hij twijfel. Alles hing af van de jongen. Aan die duizend zielen kon hij desnoods op een andere manier komen. Maar zonder het kind... Hij moest iets doen.

De jongen moet hier blijven, concludeerde hij. Wat als de hertog plotseling ziek wordt? Dan wordt de missie uitgesteld. Walbert kon zijn taak afmaken zonder bemoeienis van de hertog en de jongen was veilig. Eén maan, dat is alles wat ik nodig heb.

Zijn spieren ontspanden zich. Het zou goed komen. De hertog en de jongen zouden het kasteel niet verlaten.

HOOFDSTUK III

Ajala staarde in de Glazen Bol. Haar hoofd was leeg om de beelden te kunnen ontvangen. In het midden van de Bol ontstond een werveling. Een gele stip werd groter en groeide uit tot een stralende zon. Ajala liet zichzelf meezuigen, de Bol in.

De zon scheen en een zacht briesje zorgde voor verkoeling. Voor het jachtgezelschap uit reed koning Adelhart, op zoek naar een volgende prooi. De stoet volgde, op Ade en Odo na.

Ade zat op haar knieën. Met een mes sneed ze de buik van het hert open. De koning zelf had de dodelijke pijl geschoten, in de flank van het majestueuze dier.

Bloed stroomde over Ade's handen. Van de huid van dit hert zou ze de mooiste laarzen maken die de koning ooit gezien had.

Odo knielde naast haar neer en raakte haar schouder aan. Hij had de zware taak om het hert van zijn gewei te ontdoen. Vanavond zou het als trofee de tafel sieren tijdens het feestmaal.

Geen van beiden zagen het gevaar aankomen. Een bergleeuw had de geur van bloed geroken. Geleid door zijn honger sloop hij tussen de bomen door, zijn klauwen gereed, zijn slagtanden ontbloot, zijn donkere ogen glimmend.

Met zijn bek wijd open sprong hij op Ade af.

'Mama! Nee!'

Ajala rukte zichzelf los van de beelden in de Glazen Bol en duwde het ding van zich af. Ze knipperde met haar ogen, maar de tranen kwamen toch. Net als de beelden. Haar vader, die probeerde zijn vrouw uit de bek van de bergleeuw te bevrijden. Hij had gevochten met alles wat hij in zich had en als een razende met zijn mes ingehakt op het beest.

Wild schudde ze met haar hoofd. Ze wilde de beelden uit de nachtmerrie waarmee ze als twaalfjarig meisje de dood van haar ouders had voorspeld niet zien. Niemand had toen naar haar willen luisteren. Haar ouders niet, de stalmeester niet die ze gesmeekt had om haar ouders geen paard te geven en Reinold niet die ze op het binnenplein was tegengekomen. Ze had hem bij zijn arm gegrepen, niet van plan hem los te laten voordat hij beloofde dat haar ouders niet mee zouden gaan op jacht. Met een strenge blik had hij haar terechtgewezen. Ook tranen hadden niet geholpen. Het was maar een droom, had hij gezegd. Bergleeuwen kwamen alleen in de bergen voor, niet in de bossen waar de koning jaagde. Ze gedroeg zich als een klein kind.

Die nachtmerrie bleek later haar eerste voorspellende droom. De vreselijkste die ze ooit had gehad. Zo levensecht, alsof ze er zelf bij was geweest. De klauw die Odo's borst openreet. Het bloed dat langs de bek van de bergleeuw drupte. De grom waarmee hij zijn slagtanden in de nek van haar vader begroef.

Boos wreef ze de tranen uit haar ogen. Waarom liet de Glazen Bol haar de dood van haar ouders zien? Eerst die onverklaarbare Botten en nu dit. Wat was er toch aan de hand?

Het werd donkerder in de werkkamer, er schoof een wolk voor de zon. Ajala blikte omhoog naar het dakraam, dat met witte latjes in vier kwartieren was gedeeld om er Wolkenduidingen in te doen. Er hing een grijze Wolk in het linkerbovenkwartier. Het kwartier dat voorbije of aflopende zaken aangaf.

Ajala's hart sloeg over toen ze de vorm van de Wolk herkende. Het was het gezicht van Odmund!

'Nee!' gilde ze. 'Nee!'

Herinneringen flitsten voor haar ogen. Odmund die haastig de Botten van tafel veegde op het moment dat zij binnenkwam.

Het stilvallen van een gesprek tussen haar leermeester en Reinold zodra zij langsliep. Het ingevallen gezicht van Odmund, die de laatste manen steeds magerder werd.

Waarom had ze dit niet eerder gezien? Odmund ging dood! En zij zou weer alleen achterblijven. Hij mocht haar niet verlaten. Wat moest ze zonder hem?

'Ajala, gedraag je als een volwassen vrouw.' Het was de stem van Odmund.

Ze sprong op en speurde om zich heen. Met de rug van haar hand wreef ze de tranen uit haar ogen. Niemand te zien.

Waarschijnlijk had ze het zich verbeeld. Maar de stem had wel gelijk: ze was geen kind meer dat ongegeneerd kon gaan zitten huilen. Ze moest sterk zijn. Als Odmund weer terug was, zou ze hem vragen waarom hij haar niets verteld had. Hoe lang hij al ziek was. Of hij snel achteruit ging...

Ze drong de tranen terug die zich opnieuw een weg naar buiten vochten. Wat moest ze nu? Na de dood van haar ouders had ze zichzelf dagenlang in bed verstopt. De grijze wereld waarin ze zichzelf had opgesloten, verdween door het voorstel van Odmund. Hij wilde haar, de dochter van twee bedienden, opleiden. Ondanks haar verdriet begreep ze wat een kans ze kreeg. Ze greep zijn uitgestoken hand en droogde haar tranen. Odmund had haar leven gered, haar een toekomst en een thuis gegeven. En nu zou hij sterven.

Twee manen geleden was ze vijftien geworden. Ook al had ze vanaf haar twaalfde meegelopen met Odmund, er was nog zo veel dat ze moest leren van de ervaren hofduider. Wat zou er van haar worden? Koning Adelhart zou heus geen kind als hofduider aanstellen.

Ze snoot haar neus. Wat zou de koning denken als hij haar zo zag? En Odmund? Ze had een grote verantwoordelijkheid. Op dit moment was zij de enige die het raadsel van de Botten kon oplossen. Ik moet rustig worden, dacht ze en ze wist meteen waar ze die rust kon vinden. Daarna ga ik weer aan het werk om meer duidelijkheid te krijgen over die onheilspellende Bottenduiding.

Zodra Ajala de kapel van Mirmana binnenstapte, voelde ze haar onrust afnemen. De kapel bestond bijna geheel uit glas-in-loodramen. Het daglicht sijpelde kleurrijk door de ramen heen. Omdat de meeste ramen nachtelijk blauw waren, ademde de kapel een serene sfeer.

De kapel was op wat stoelen na leeg. Mirmana had geen behoefte aan pracht of praal. Naast de deur brandde een schaaltje met geurige kruiden die Ajala's neus prikkelden. De rook steeg op naar de punt van de kapel waar Mirmana glinsterde in haar zilveren, volle glorie. Ajala ging op de grond zitten en legde haar hoofd achterover. 'Mirmana, jij die licht in het duister brengt, help mijn leermeester Odmund. Hij is ziek en gaat do...' Ze kreeg het woord niet over haar lippen. 'Ik kan niet zonder hem. Er staat iets vreselijks te gebeuren. Het kwaad roert zich. Help mij om erachter te komen wat er aan de hand is. Wat moet ik doen?'

Haar blik werd getrokken naar de onderste rij glas-in-loodramen. Daarin werd verteld hoe Mirmana en haar broer samen de wereld schiepen: de mensen, de dieren, de planten en de zon om de wereld te verlichten. Tevreden leefde Mirmana tussen haar creaties en zag hoe zij zich ontwikkelden. Haar broer vond dat de mensen te veel hun eigen gang gingen. Dat ze vergaten aan wie ze hun leven te danken hadden. Hij creëerde de nacht om de mensen er steeds weer aan te herinneren dat ze dankbaar moesten zijn voor het licht en alles wat hij en Mirmana hun geschonken hadden.

De mensen waren bang voor het donker van de nacht. Hij leefde op door hun angst en voelde zich krachtig door de macht die hij had. Als Mirmana sliep, waarde hij door de nacht om de mensen angst aan te jagen, om hen te onderdrukken en hen af te nemen wat ze liefhadden.

Op een dag kwam Mirmana erachter wat voor monster haar broer geworden was. Toen ze hem confronteerde, nam hij haar bruut gevangen. Iedere nacht kwelde hij haar zo, dat ze hem smeekte haar te doden.

Uiteindelijk wendde Mirmana al haar krachten aan. Ze vocht met haar broer tot ze allebei dodelijk gewond waren. Zij veranderde haar stervende lichaam in een zilveren maan die opsteeg naar de nachtelijke hemel om het duister te verlichten. Hij zwoor met zijn laatste ademteug dat hij wraak zou nemen. 'Ik zal jou en al het licht uit de wereld verdrijven zodat jouw geliefde mensen zullen sterven in angst en duisternis.'

Ajala kende de woorden alsof ze er zelf bij gestaan had. De Deemster Vorst probeerde sindsdien de wereld te vernietigen. Alleen dankzij Mirmana was het hem nog niet gelukt. En nu? vroeg Ajala zich af. Kon de godin haar broer weer tegenhouden? Of zou hij eindelijk de wraak krijgen waar hij al die tijd op wachtte?

De kapel voelde ineens bedompt. Ajala had behoefte aan frisse lucht. Snel verliet ze de benauwde ruimte en ademde buiten diep in. Ik ga wandelen om mijn hoofd leeg te maken, dacht ze.

Ze liep over de smalle grindpaadjes van de kasteeltuin die zich tussen bomen door slingerden. In de aangelegde perken groeiden bijzondere planten en bloemen die een verrukkelijke zoete geur afgaven. Ajala snoof de lucht op. Hier en daar stonden bankjes waar mensen rustten of genoten van een vijver of kunstig gesnoeid groen.

Ze wandelde naar de Imkar, het riviertje dat door de kasteeltuin stroomde. Water was het element van Mirmana. Soms leek het alsof de godin tegen haar sprak als ze een Waterduiding deed.

Ze ging op haar buik in het gras liggen, haar handen gevouwen onder haar kin. Heerlijk, dat kabbelende water. Ze sloot haar ogen en genoot.

Voetstappen achter haar verstoorden haar rust. 'Ajala.'

Snel sprong ze op, klopte haar jurk af en gooide haar haar naar achteren. Het was Reinold, die haar afwachtend aankeek. Zou hij het weten van Odmund? De raadsheer van de koning wist altijd alles. 'Reinold?'

De grijze, oude man knikte haar vriendelijk toe. 'Koning Adelhart is een wandeling in zijn tuin aan het maken en hij wil jouw gezelschap.'

De koning? In zijn privétuin? Nu? Ze droeg een versleten jurk, had haar haren nauwelijks gekamd en haar ogen waren vast gezwollen van het huilen. Maar de koning liet je niet wachten. 'Moet ik iets voor de koning doen?' vroeg ze.

'Dat hoor je wel van hem. Loop je mee?' Reinold wachtte niet op antwoord en vertrok.

Ajala haastte zich achter hem aan en haalde ondertussen haar vingers door haar haren. Wat zou de koning van haar willen? Nog nooit was ze in de privétuin geweest. Er werd gefluisterd dat daar de geheimste gesprekken werden gevoerd en de belangrijkste beslissingen werden genomen. Ondanks dat de privétuin aan de kasteeltuin grensde, was het domein van de koning volledig afgesloten door een stenen, manshoge muur die overwoekerd was met klimop. Naast toegang via de privévertrekken van de koning was er slechts één ingang. Volledig gewapend versperden twee strengkijkende wachters met hun speren een met ijzer beslagen poortdeur.

Zonder een woord lieten de wachters haar en de raadsheer passeren. De poortdeur ging geruisloos open en Ajala liep de koninklijke tuin in. Hier waren geen grindpaden, maar paden van donkerrode mossen, begrensd door spierwitte kiezels. Langs de paden stonden eeuwenoude bomen, hun grillige stammen soms zo dik als vier volwassen mannen. Alles was onberispelijk: er lag geen los blad op de grond, geen afgebroken tak slingerde rond, geen grassprietje wees de verkeerde kant op.

Haar voeten zakten diep weg in de mospaden. Het was raar om te lopen zonder dat haar schoenen geluid maakten.

'Wat ben je stil, meisje. Is er iets?'

Ze schrok van Reinolds stem. Hij had zich naar haar omgedraaid en keek haar onderzoekend aan. Kon hij zien dat ze gehuild had?

'Ajala, heb je je tong verloren?'

Ze perste er een lachje uit. 'Nee hoor, het is hier alleen zo mooi. Ik ben hier nog nooit geweest.'

Reinold keek haar diep in haar ogen. Zijn grijze ogen leken haar mee te nemen naar verre plaatsen, vroegen haar om los te laten en zich over te geven. Ajala vocht tegen de drang om door Reinold meegevoerd te worden. Ze zette zich schrap alsof ze een storm moest trotseren.

'Laat je gaan,' fluisterde een stem in haar hoofd, even onopvallend als een ademhaling. Ajala wilde wegvliegen, weg van haar verdriet om Odmund, weg van de angst om er alleen voor te staan.

Verbreek het contact met zijn ogen, sprak ze zichzelf toe. Met alle kracht die ze had, wendde ze haar blik af. Haar hart bonsde in haar keel en het zweet liep over haar rug. Ze bukte en deed alsof ze haar veter moest strikken.

Wat had Reinold gedaan? Was dit de reden dat hij altijd alles wist? Kon hij je betoveren en alles in je ogen lezen?

Reinold deed net alsof er niets gebeurd was. 'Dat was ik vergeten. Iedereen die de eerste keer in de privétuin komt, is stil.'

De raadsheer speelde een spelletje met haar! Dat kon zij ook, ze liep al lang genoeg mee in de hofkringen. 'Voor jou is het natuurlijk niet bijzonder meer, jij komt hier zo vaak. Het is om stil van te worden.'

Een licht knikje, alsof hij haar waarderend toeknikte. 'Misschien kan ik je een andere keer de hele tuin laten zien.'

Sinds wanneer ben jij de tuinman? vroeg ze zich af. 'Dat zou ik heel fijn vinden.'

Reinold draaide zich om. Ajala dacht nog een fluistering op te vangen. 'Kleine meisjes worden groot.'

In stilte liepen ze verder, langs buxusbomen die in de meest prachtige fabeldieren waren gesnoeid, langs een aangelegde waterval die kletterend over de rotsen stroomde en onder rozenhagen door.

Koning Adelhart zat op een witte bank tussen paars bloeiende amarantstruiken. Hij had witte, leren laarzen tot over zijn knieën aan, een lichtgroene tuniek en een wit vest met verzilverde randen. Hij droeg geen kroon, wel zijn zilveren ambtsketen van dikke, gevlochten schakels die een zilveren maan omhelsden.

'Een goede middag, hoogheid,' zei ze terwijl ze een buiging maakte.

De koning klopte met zijn hand op de plek naast hem. 'Kom zitten, Ajala. Gaat alles goed? Je ogen zien zo rood.' Hij keek haar aan zoals haar vader vroeger deed wanneer hij zich zorgen om haar maakte.

Zie je wel, dacht ze. Iedereen kan zien dat ik gehuild heb. 'Jazeker, hoogheid, alles gaat goed. Wat kan ik voor u doen?'

'Ik wilde even met je praten over de duiding van gisteren. Hopelijk begrijp je waarom Reinold je namens mij vroeg om bepaalde zaken buiten je duiding te houden.'

Daar had ze de halve nacht over liggen piekeren: de koning die de duider vroeg om te liegen. 'Ja, hoogheid, ik begrijp het. Het zou te veel onrust onder de bevolking veroorzaken als de mensen zouden denken dat er een oorlog op komst is of dat er gevaar dreigt van de Deemster Vorst.'

'Je bent een slimme meid,' zei hij glimlachend. 'Soms vertel je de mensen wat ze willen horen. Echt belangrijke zaken bespreken we niet in de troonzaal. Mocht je me ooit iets belangrijks willen vertellen, zoek dan Reinold op. Hij zal ervoor zorgen dat wij ongestoord kunnen praten.'

Ajala kreeg een brok in haar keel. De koning vertelde dit niet zomaar. Als Odmund er straks niet meer was, moest iemand anders met de koning bespreken wat de Voorspellers voor nieuws brachten. De koning bereidde haar voor op een toekomst zonder Odmund. Waarschijnlijk wist de hele hofhouding het. Alleen zij was overal buiten gehouden. Een mooie duider was ze!

'Dank u, hoogheid,' zei ze met een dikke keel.

'Is er nog iets dat je me over de duiding van gisteren moet vertellen? Sprak je de waarheid over heer Bauenold?'

Wat moest ze doen? Koning Adelhart vertellen dat ze de helft niet begrepen had? Dat er volgens haar gevoel iets vreselijks ging gebeuren, maar dat ze niet wist wat? Al bij haar allereerste duiding maakte ze er een puinhoop van. Nee, ze zou de koning pas inlichten als ze daadwerkelijk meer wist. 'Ik heb de waarheid over hertog Bauenold gesproken. De schermutselingen in de bergen zijn persoonlijk tegen hem gericht. Ik wil wel graag mijn waarschuwing herhalen: de hertog moet uitkijken voor water.'

'De hertog heeft je waarschuwing gehoord, Ajala. Je hebt het goed gedaan. Dank je wel.' De toon van de koning was duidelijk: het gesprek was afgelopen.

Ze stond op.

'Ik begeleid je naar de kasteeltuin,' zei Reinold.

Ze nam afscheid met een buiging en volgde de grijze man in stilte.

Vanuit zijn raam wierp hij een blik naar buiten. De nachtelijke hemel was op een glimp maanlicht na donker. Zijn Heer regeerde nog steeds. De kracht van het duister was voelbaar, bijna tastbaar.

Hij moest opschieten. De hertog had de gewoonte om iedere avond vers drinkwater te willen. De kamermeisjes zouden zo hun laatste ronde doen en het water van de hertog verversen.

Om zijn nek hing de sleutel van zijn kist, waarin zijn persoonlijke bezittingen beschermd waren tegen nieuwsgierige blikken. Het koperen slot was keurig gepoetst en de lederen versieringen op de kist glommen van de was. Heel even gleed hij met zijn vinger over het gladgeschuurde hout. Daarna opende hij de kist.

Bovenop lagen zijn rituele kleren. Zwart. Het verboden zwart. Hij kleedde zich snel om. Met de zwarte broek en tuniek aan voelde hij zich anders. Beter. Krachtiger.

Hij pakte de ijzeren kan met water die hij in het donker van de maanloze nacht uit de rivier had geschept, gevoed met de duistere krachten van zijn Heer. Daarna haalde hij de negen rituele kaarsen, de zwarte, glazen schaal en het mes met het zwarte heft uit de kist.

Hij ademde een paar keer diep in en uit en concentreerde zich. Aandachtig plaatste hij de negen kaarsen in de juiste geometrische positie op de grond en stak ze aan. Met alle attributen ging hij naast de kaars van de Oorsprong zitten, die de Deemster Vorst symboliseerde.

Behoedzaam goot hij het water uit de kan in de schaal. Het water reflecteerde zijn spiegelbeeld. 'Heer van de Schemering, hoor uw trouwe dienaar aan. Onze plannen lopen gevaar. Daarom verzoek ik u, help mij met uw kracht.'

Met het mes maakte hij een snee in zijn linkeronderarm. Het bloed droop over zijn huid en sijpelde de schaal in. Glimlachend keek hij toe. 'Met dit bloed vervuil ik het drinkwater van hertog

Bauenold. Laat het vol gif en venijn zitten. Laat hem drinken en ziek worden en voor dagen het bed houden.' Zodat de jongen veilig hier blijft en Walbert zijn gang kan gaan, dacht hij.

Een voor een doofde hij de kaarsen met zijn vingers en stelde zich voor dat hij de levenskracht uit de hertog kneep.

HOOFDSTUK IV

Vol verwachting liep Miron na het avondeten naar de vertrekken van de hertog. Lanzo liep twee passen voor hem uit, alsof hij niet kon wachten op de besprekingen. In zijn bruine tuniek met het beige vest eroverheen en met zijn blonde haar strak naar achteren gekamd, leek hij een echte edelman.

Lachend liep Lanzo de vertrekken van zijn vader binnen. De hertog zat in het voorvertrek te praten met Denno, de bevelhebber van de soldaten in de bergstreek. Hij was gekleed in bruine, soepele reiskleren. Als groet bracht hij zijn hand naar zijn hoofd. Denno was al zo lang als Miron zich kon herinneren in dienst bij de hertog. Een paar jaar geleden had hij Lanzo en Miron gesnapt toen ze 's nachts de Bauenoldburcht wilden ontglippen om op avontuur te gaan. Zonder ze aan de hertog te verraden, had Denno hen terug naar bed gestuurd.

'Jongens, fijn dat jullie er zijn. Ga nog maar even zitten tot Wulfar er is.'

Miron knikte naar de hertog. De meeste volwassenen zagen alleen Lanzo, alsof Miron een onzichtbare schaduw was. Maar de hertog keek hem altijd recht aan, groette hen beiden en betrok hem zelfs bij het gesprek. Net als de hertogin. Miron miste haar en de gezelligheid van de Bauenoldburcht.

'Denno is net aangekomen met het laatste nieuws uit de bergen. Hij zal zijn verhaal doen als Wulfar er is. Anders moet hij het drie keer vertellen.'

'Ik vertel het graag nog een keer.' Denno's blonde baard had al grijze strepen, toch kwam hij energiek over, terwijl hij nog stoffig was van zijn lange reis.

'Laat ze maar even wachten. Deze jongens kunnen wel wat oefening in geduldig wachten gebruiken,' zei de hertog glimlachend.

Lanzo perste zijn lippen op elkaar. Normaal gesproken had hij allang een opmerking gemaakt, maar Miron wist dat hij zich inhield. Hij wilde zijn vader geen enkele reden geven om hem alsnog thuis te laten en had Miron de hele dag voorgehouden dat hij zich voorbeeldig zou gedragen.

'Willen jullie wat drinken, jongens? Help jezelf.'

Miron stond op en liep naar de rechterzijde van het voorvertrek. Daar stond een houten kabinet waarin glanzend gepoetste kristallen glazen stonden. Bovenop stonden vier ijzeren kannen, gevuld met mede, bier, wijn en water. Voor Lanzo vulde hij zo'n kostbaar glas, half met water, half met mede. Zelf nam hij een stenen mok, die achter een van de deurtjes stond, met water. 'Kan ik voor u iets inschenken?' vroeg hij.

De hertog hief zijn halfvolle glas en Denno schudde zijn hoofd.

Tijdens het wachten nipte Miron van zijn water. De hertog en Denno spraken over zaken die hem niet interesseerden. Aflossing van de troepen op het platteland en de bevoorrading van de mannen aan de zuidoostelijke grens.

Lanzo's voeten wiebelden heen en weer onder zijn stoel. Hij zat licht voorover gebogen, af en toe knikkend, alsof hij het gesprek geboeid volgde. Hij kon zo bij het koninklijke toneel.

Eindelijk ging de deur open en kwam Wulfar binnen. De strijdadviseur was één harde bonk spieren en zelfs in het kasteel volledig bewapend. Hij trok de aandacht naar zich toe, niet alleen vanwege zijn lengte. Hij had een woelige bos rossig haar en een baard waar een half leger zich in kon verstoppen. Boven zijn baard prijkte een felrood litteken, dat dwars over Wulfars wang liep.

'Zullen we?' stelde de hertog voor. Hij stond op en leidde hen naar zijn werkvertrek waar iedereen zich om het bureau schaarde. Op het bureau lag een enorme landkaart. Daarop was het berggebied weergegeven, de belangrijkste passen, de grens van het koninkrijk met dat van koning Raal en de rivieren die vanuit de bergen het hele land van water voorzagen.

Naast de landkaart lagen gekleurde, houten blokjes. Denno plaatste ze snel op de kaart. 'Hier, hier en hier,' zei hij terwijl hij een aantal rode blokjes neerlegde, 'zijn schermutselingen geweest. Reizigers werden overvallen en gedood.'

Hij plaatste groene blokjes op de twee grootste bergpassen. 'Hier patrouilleren wij. Op deze routes is niets vreemds gebeurd, geen overvallen reizigers of andere vijandelijkheden. Daarom zijn we met een kleine groep verkenners door dit gebied getrokken.' Hij wees met zijn vinger een groot gebied aan, dat begon bij de rode blokjes en liep tot de grens van het koninkrijk. 'We vonden niets. Na een vierde melding van problemen,' hij plaatste een rood blokje in het gebied dat de verkenners hadden onderzocht, 'hebben we een groepje soldaten vermomd als reizigers over diezelfde route gestuurd. Tot nu toe zijn ze niet teruggekeerd. We vrezen het ergste.'

Miron kreeg het er benauwd van. Waren de soldaten verdwenen? Wat was er toch aan de hand? Het ging duidelijk niet om de handelsroutes tussen de twee koninkrijken. Die paden lieten ze ongemoeid. Wat kon er zo belangrijk zijn in het zuidwestelijke gedeelte van de bergen? Zouden ze een zilverader ontdekt hebben en die geheim willen houden? Bij wet viel al het zilver toe aan de koning. Het was de gift van Mirmana aan de mensen en de koning regeerde in haar naam. Hij was de enige die het goddelijke zilver mocht dragen en het mocht verdelen onder de bevolking.

Miron wilde zijn ideeën uitschreeuwen, maar de afspraak was duidelijk: hij en Lanzo mochten zich nergens mee bemoeien.

'Dat gebied leent zich uitstekend om iets geheim te houden, er zijn weinig reizigers, er wordt niet gepatrouilleerd en er zijn geen observatieposten. De vraag is: wát willen ze geheim houden en wáár zitten ze precies?' zei Wulfar.

Mirons wangen gloeiden van trots. Hij had dezelfde conclusie getrokken als de ervaren strijdadviseur! Ze hielden iets verborgen...

'De dreiging is tegen mij persoonlijk gericht. Zou er iemand zo dwaas zijn om een leger in de bergen te verzamelen om mijn hertogdom te bestormen?' vroeg de hertog mompelend.

Oh ja, Ajala's duiding, dacht Miron. Die was hij even vergeten. Met zilver had het waarschijnlijk niets te maken. Maar wat kon het dan zijn?

Wulfar schudde zijn hoofd. 'De enige conclusie die we kunnen trekken, is dat er een groep mannen in de bergen zit die een plan beraamt tegen u persoonlijk. Voor een rechtstreekse aanval op uw hertogdom zou ik niet vrezen. Het is duidelijk dat ze een bepaald gebied beschermen tegen indringers. Ik denk dat die overvallen een afleidingsmanoeuvre waren.'

De mannen keken naar de kaart, alsof ze met hun strakke blik een antwoord tevoorschijn konden toveren. 'Misschien,' zei Wulfar, 'is het een val en loopt u er rechtstreeks in, heer Bauenold. In de bergen is het gemakkelijker om een aanslag op u te plegen. Een vallend rotsblok is al genoeg. Ik denk dat u er verstandig aan doet niet zelf mee te gaan, maar in de veiligheid van het kasteel te blijven. Laat uw mannen dit onderzoeken.'

Even keek de hertog Wulfar aan, waarna hij resoluut zijn hoofd schudde. 'Geen denken aan.'

Gelukkig, de hertog liet zich niet van zijn plannen afbrengen! Maar Miron knoopte de waarschuwing van de strijdadviseur wel in zijn oren. Overal zou gevaar dreigen. Gevaar voor de hertog, maar ook voor Lanzo.

'Het is mijn taak u te waarschuwen, heer. Ik had niet verwacht dat u het gevaar zou mijden,' zei Wulfar.

'Laten we plannen maken. Wat denk je dat we het beste kunnen doen? Het is een enorm gebied dat we moeten onderzoeken. Als het om een kleine groep gaat, kunnen ze zich manenlang verstoppen.'

De strijdadviseur knikte. 'Die mannen doen iets heimelijks in dat gebied, wat het ook is. Ik raad u aan om het hele gebied uit te kammen, om simpelweg te zoeken naar wat ze willen verbergen. Als u te dichtbij komt, stuit u vanzelf op tegenstand.'

'Ajala heeft gezegd dat we met een groep de bergen in moeten trekken,' zei de hertog, zijn blik weer op de kaart gericht. 'Dus dat gaan we doen.'

'Kan ik u verder nog van advies dienen?' vroeg Wulfar.

De hertog keek op. Hij had een vastbesloten trek om zijn mond. 'Nee, dank je, Wulfar. We zullen wel zien wat we tegenkomen en er dan naar handelen. Het is niet de eerste groep onruststokers die ik van mijn land moet verwijderen.' Hij glimlachte flauwtjes waarna hij zich omdraaide naar de hoek van de tafel. 'Jongens, hebben jullie nog vragen aan de strijdadviseur?'

Lanzo ging direct rechtop staan. 'Waar moeten we op letten als we door de bergen trekken? We hebben geen idee wat we zoeken, dus hoe weten we dat we het gevonden hebben?'

'Dat is een kwestie van ervaring. Alles wat afwijkt van het normale, is verdacht, maar dan moet je wel weten wat normaal is. Welke dieren kun je waar verwachten? Welke sporen? Welke planten? Aan de omgeving kan een goed spoorzoeker altijd opmaken of er mensen zijn geweest.'

Lanzo keek teleurgesteld, maar zei niets.

'Miron, wil jij nog iets weten?' vroeg de hertog.

Er was één ding dat hem sinds die ochtend dwars zat. 'Misschien is het een stomme vraag, maar wat denkt u dat de waarschuwing van Ajala over water betekent?'

Op het gezicht van de hertog verscheen een dun lachje, alsof hij Mirons vraag grappig vond. Wulfar had altijd dezelfde, serieuze uitdrukking, waar niets uit op te maken viel. Het leek wel of zijn gezicht uit steen gehouwen was.

'Ik weet dat de waarschuwing van de leerlinghofduider vreemd klinkt,' zei de strijdadviseur. 'Tot nu toe hebben de duiders ons altijd waardevolle informatie verschaft. Ook de leerlinghofduider. Daarom raad ik iedereen aan om haar woorden serieus te nemen. Zelfs de woorden die wij nu nog niet begrijpen.'

Ik ben dus niet de enige die Ajala's waarschuwing serieus neemt, dacht Miron.

Wulfar nam afscheid en vertrok waarna heer Bauenold zich tot Denno richtte: 'Ik wil morgen direct na het ontbijt vertrekken. Geef je dat door aan de mannen en aan de stalmeester? Zorg voor voldoende proviand en drinkwater voor iedereen. Ik wil snel rijden en niet te veel tijd verliezen aan jagen en eten. Vergeet niet dat de jongens ook meegaan. In totaal gaan we met drieëntwintig man.'

Denno knikte. 'Natuurlijk, heer. Morgenvroeg staat iedereen klaar.'

Na nog wat laatste details vertrok ook Denno, zodat Lanzo en Miron alleen achterbleven bij de hertog. Ze verlieten de werkkamer en gingen in de zetels van het voorvertrek zitten.

'Zo, jongens, jullie hebben je keurig gedragen en allebei een nuttige vraag gesteld. Ik ben tevreden. Morgen wordt het een lange en vermoeiende dag. En niet alleen morgen. De hele tocht zal vermoeiend zijn. Zijn alle spullen ingepakt? Denken jullie aan voldoende dekens en warme kleren? Zijn jullie wapens gecontroleerd?'

'Vader, we zijn geen kleine kinderen. We weten heel goed hoe we ons op een dergelijke tocht moeten voorbereiden,' zei Lanzo alsof hij een doorgewinterde veteraan was.

'Prima, dan bemoei ik me er verder niet mee.'

Een klop op de deur onderbrak het gesprek. Twee kamermeisjes kwamen binnen met schone doeken en volle drankkannen. Nadat de lege kannen omgewisseld waren voor volle en de kamermeisjes waren vertrokken, stond Miron op en vroeg of hij nog iets kon inschenken.

'Ik lust nog wel een mede. En niet zo veel water deze keer! Het smaakt nergens naar als je het zo aanlengt,' zei Lanzo met een grijns.

Van mij krijg je geen pure mede, dacht Miron. Hij had geen zin in een aangeschoten Lanzo die de hele nacht lol wilde trappen.

Met zijn rug naar Lanzo toe schonk hij een glas halfvol mede. Op het moment dat hij de kan met water vasthad, voelde hij iets prikken in zijn zij. Van schrik maakte hij een sprongetje, de ijzeren kan sloeg tegen het kabinet aan en gleed uit zijn vingers.

'Dat krijg je ervan als je mij probeert te foppen,' zei Lanzo, die vlak achter hem stond.

'Eierkop,' reageerde Miron. Met zijn voeten stond hij in een grote plas water. 'Mijn excuses, hertog. Ik zal de rotzooi meteen opruimen.'

'Volgens mij ben jij niet de enige schuldige. Ruim het samen maar op,' zei de hertog.

'Vader!' protesteerde Lanzo.

'In mijn slaapvertrek liggen droge doeken.'

Miron glimlachte terwijl Lanzo als een hond met de staart tussen de benen naar het slaapvertrek vertrok.

Voorzichtig zette Miron het kristallen glas op het kabinet, dat had hij gelukkig niet op de grond laten vallen. Hij bukte zich en raapte de kan op. Er zat een flinke deuk in.

‘Hier.’ Lanzo gooide een schone doek in Mirons richting.

Behendig ving Miron de doek en droogde de vloer. ‘Ik ga nieuw water voor u halen, heer,’ zei hij terwijl hij de kan met zijn vrije hand pakte.

‘Dat hoeft niet, Miron. Stuur onderweg naar jullie vertrekken maar een kamermeisje.’

‘Ik heb de kan laten vallen, heer, dus zal ik voor nieuw water zorgen,’ zei hij stellig. De hertog hoefde de deuk in de kan niet te zien, Miron zou hem meteen omruilen. Zonder op tegenspraak te wachten, verliet hij het vertrek.

Gejaagd snelde hij door de gangen, alsof hij achterna gezeten werd door een hongerige bergleeuw. De hertog was blakend van gezondheid aan het ontbijt verschenen!

Verscholen in de gang had hij de vorige avond gezien hoe de kamermeisjes met de waterkan het vertrek van de hertog binnengingen. Toch was het onmogelijke gebeurd. De hertog was kerngezond en stond op het punt te vertrekken. Met de jongen.

Hij smeet de deur van zijn vertrek achter zich dicht. Hij moest iets doen! Vanuit zijn raam keek hij naar de binnenplaats. Daar had het reisgezelschap zich al verzameld. De soldaten waren reisvaardig. Jonge knapen liepen driftig heen en weer om de laatste zaken te regelen. Helemaal vooraan de groep zaten de jongens klaar op hun paarden. Alsof ze niet konden wachten om zich in het gevaar te storten en alles te verpesten. Hij gromde.

Zolang de hertog niet te paard zit, is er nog tijd, dacht hij. Moet ik meegaan of hier blijven? Het valt op als ik van de zijde van de koning wijk. Dan maak ik mezelf na al die jaren van heimelijkheid en voorzichtigheid verdacht. Maar maakt dat nog uit? Over één maan ben ik heer en meester. Meegaan of blijven?

Er was geen tijd voor een uitgebreid ritueel. Uit zijn beurs haalde hij een zilveren kopstuk. De ironie ontging hem niet. Met het zilver van Mirmana zou hij een beslissing nemen waardoor Mirmana's licht niet langer zou schijnen.

De kop van de koning grijnsde hem vanaf de munt toe. Aan de andere kant stond het maansymbool. Als de munt met de koningszijde boven viel, zou hij in het kasteel blijven. Als het maansymbool verscheen, zou hij zich aansluiten bij de hertog en de jongen beschermen.

'Heer van de Schemering, leid deze munt. Wat moet ik doen? Blijven of gaan?'

Hij gooide de munt de lucht in. Met twee handen ving hij hem

HOOFDSTUK V

Nadat Ajala 's ochtends vroeg het reisgezelschap van de hertog had uitgezwaaid, had ze zich teruggetrokken in de werkkamer van Odmund. Haar wereld was gekrompen tot een tafelblad met Botten. Precies in het midden van de legdoek lag Okesh. Er was geen twijfel meer mogelijk, de Deemster Vorst speelde een rol. Ajala huiverde.

Onder Okesh lag Verselle. Koning Adelhart was in gevaar! Daarnaast lag Marika, het ging dus om de hele koninklijke familie.

In het bovenste kwartier lagen twee Botten precies tegen elkaar. Alles draaide om het kleine en het grote Andysbot. Ging het om een kind of een volwassene? Of om allebei?

Ajala zuchtte. Waarom waren de Botten niet duidelijker? Volgens Odmund gaven de Voorspellers altijd voldoende informatie. Als je een duiding niet begreep, lag dat aan jezelf. Ze moest zich beter concentreren.

Naast de Andysbotten lag Nuno, die wees op een gemaskerde vriend, iemand die zich anders voordeed dan hij in werkelijkheid was.

Ajala verplaatste haar blik naar het linkerkwartier, de oorzaak. Liefde. Er was liefde in het spel. En dood. Dat gaf Ankash aan. Daarnaast lag het grillige Bot dat haat representeerde.

Een voor een nam Ajala de Botten in zich op. Deze legging was veel duidelijker dan de vorige die ze in de troonzaal had gedaan. Toch waren er nog zo veel vragen.

Een verdiepende duiding, dat ga ik doen, dacht ze. Ze pakte de Botten van de legdoek en schudde ze door elkaar. Terwijl haar adem sissend ontsnapte, liet ze de Botten vallen. Ze kletterden over de legdoek en namen hun positie in. Sommige vielen van tafel.

Er lagen zes Botten in het centrale gedeelte van de legdoek. Allemaal naast elkaar, alsof je ze kon lezen als een boek. Het verhaal begon bij de koning en zijn geliefde. Daarnaast lag de dood. Dat moest wel op de dood van de koningin duiden. Vervolgens haat en de gemaskerde vriend. Het laatste Bot was Okesh. De gemaskerde vriend lag niet voor niets naast de Deemster Vorst...

De Botten wilden haar de oorzaak van de dreiging duidelijk maken. Er moest iets gebeurd zijn, vijftien jaar geleden toen de koningin stierf. Al wat zij wist, was dat de koningin gestorven was tijdens de bevalling van prinses Amitha. Er was duidelijk meer aan de hand. Reinold moest haar vertellen wat er precies gebeurd was, anders kon ze de Botten niet juist interpreteren.

De raadsheer van de koning was nergens te bekennen. Ajala had het hele kasteel doorzocht, had iedereen naar Reinold gevraagd, maar de man was onvindbaar. Ze stampte de treden op die naar de werkkamer van Odmund leidden. Waar waren mensen als je ze nodig had? Ze wilde Reinold spreken. Nu.

Hij kon zich niet voor haar verstoppen. Ze zou hem met de Pendel opsporen.

De Botten op de werktafel leken haar bestraffend aan te kijken. 'Het spijt me,' mompelde ze. Ze was zomaar weggerend. Zo behandelde je de Botten niet. Nadat ze de Botten netjes had opgeruimd, zocht ze tussen alle plattegronden naar die van het kasteel.

Er werd op de deur geklopt.

Ajala schrok. Er kwam nooit iemand hierboven, zelfs de kamermeisjes niet. Het was haar taak om de werkkamer schoon te houden en Odmund liet niemand anders in zijn domein toe. Ze draaide zich om en riep: 'Wie is daar?'

'Ik ben het, Reinold. Je zocht me?' Zonder op toestemming te wachten, opende hij de deur. Zijn onderzoekende ogen vlogen direct naar haar armen vol plattegronden. 'Zo te zien was je nog niet klaar met zoeken.'

Ajala's wangen werden rood, alsof ze als een klein kind betrapt was bij het afluisteren van volwassenen. Ze rechtte haar schouders. 'Ik moet je spreken.'

Hij knikte haar toe. 'Zullen we gaan zitten?'

Ajala gooide de plattegronden terug in de kast en ging zitten op de stoel waar Odmund normaal gesproken zat. Wat is er toch veel veranderd in een paar dagen tijd, dacht ze. Ik zit op Odmunds stoel en Reinold op de mijne.

'Wat is er aan de hand?' vroeg de raadsheer.

'De Botten voorspellen vreselijke dingen. De koning, en de hele koninklijke lijn, is in gevaar.'

Reinold ging rechtop zitten, maar zei niets.

'De oorzaak ligt bij de dood van de koningin. Er is toen iets gebeurd. Ik moet weten wat, Reinold, anders kan ik niet verder.'

De grijze man keek haar aan. Zijn blik werd dieper en intenser. Net als in de tuin van de koning voelde Ajala dat zijn ogen haar mee konden nemen naar een plek waar niemand doodging en waar geen gevaren dreigden.

Nee! riep ze in haar hoofd. Ik wil niet door Reinold meegevoerd worden. Hij moet uit mijn hoofd! Met al haar wilskracht lukte het haar om zich los te maken uit de greep van de raadsheer. Waarom deed hij dat steeds? Was het een test om te zien of ze betrouwbaar was? Of probeerde hij erachter te komen wat ze wist? Kon Reinold de gemaskerde vriend zijn? Had ze hem te veel verteld?

'Dat is erg verontrustend, Ajala. Kun je me meer over die dreiging vertellen?'

Ze keek de raadsheer recht in zijn ogen, probeerde hem te peilen zoals hij bij haar had gedaan. Was hij te vertrouwen? De koning vertrouwde hem. 'De Deemster Vorst speelt een rol. Meer kan ik nu niet zeggen, ik moet eerst weten wat er vijftien jaar geleden gebeurd is.'

'Die beslissing is niet aan mij, meisje. Ik zie dat je ongerust bent, maar misschien is het verstandig om op Odmunds terugkomst te wachten.'

Ze sprong op van haar stoel. 'Als Odmund er straks niet meer is, zul je het ook met mij moeten doen.' De woorden vlogen haar mond uit voordat ze er erg in had.

'Je weet het dus van Odmund,' zei Reinold zacht.

Ze knikte. 'Als je mij niet vertrouwt, vertrouw dan de Botten. Er gaat iets vreselijks gebeuren, Reinold. Misschien kunnen we het voorkomen. Maar dan moet ik wel mijn werk kunnen doen.'

'Odmund zou trots op je zijn.' Reinold stond op. 'Ik zal het direct met de koning bespreken. Bereid je voor op een gesprek.'

Net voordat Ajala naar bed wilde gaan, kwam Nitard de werkkamer binnen. Zijn blik stond op onweer. 'Koning Adelhart heeft de hele dag besprekingen gehad. Hij kan je nu ontvangen.' Hij draaide haar zijn rug toe en liep weg.

Waarom doet hij zo? vroeg ze zich af. In de buurt van de koning was hij altijd de vriendelijkheid zelve. Het leek wel alsof hij dan een masker op had.

Ajala verstarde. De gemaskerde vriend... Zou Nitard degene zijn? De man die altijd klaarstond voor de koning en alles voor hem deed? En die eigenlijk niets meer is dan een veredelde loopjongen, dacht ze. Ze kon zich niet voorstellen dat Nitard iets anders deed dan keurig bevelen uitvoeren. Maar wat als hij bevelen uitvoerde van de Deemster Vorst?

Misschien kon de koning haar meer vertellen. De hele dag had ze zich afgevraagd wat er was gebeurd, vijftien jaar geleden. Wat kon er zó erg zijn dat een vriend een vijand werd en de hulp inriep van duistere krachten?

Ze had Botten geworpen, Kaarten getrokken en Stenen gelezen, maar ze kreeg geen extra informatie. Uit frustratie had ze de hele werkkamer overhoopgehaald op zoek naar een Voorspeller die haar wel wilde helpen. Zinloos natuurlijk. De Voorspellers gaven geen pasklare antwoorden, hoe hard je het ook probeerde.

Terwijl ze iedere beweging van de lakei in de gaten hield, liepen ze samen naar de privétuin van de koning. Ondanks het late tijdstip was het nog steeds zacht buiten.

De tuin van de koning werd sprookjesachtig verlicht door brandende fakkels. De witte bank was leeg. 'Wacht hier,' zei Nitard en hij vertrok naar binnen. Ajala was blij dat hij weg was.

Niet veel later kwamen koning Adelhart en Reinold naar buiten. De koning zag er vermoeid uit. Zijn altijd vriendelijke gezicht was doorgroefd met diepe rimpels, zijn huid had een doffe teint en de kracht die hij normaal uitstraalde, leek verdwenen. Voor het eerst merkte Ajala dat de koning een oudere man was.

'Ga zitten, Ajala,' zei hij met een uitnodigend gebaar.

Voordat ze ging zitten, maakte ze een buiging.

'In besloten kring hoef je niet voor me te buigen. Al dat gedoe.'

Ajala verschoot. Was het de vermoeidheid die deze woorden influisterde bij de koning? Of was dit een teken dat ze niet langer de leerlinghofduider was?

'Ik heb van Reinold gehoord dat je het weet van Odmund.'

'Ja, hoogheid, ik weet het.' Haar stem sloeg over.

'Odmund wilde het je nog niet zeggen en wij hebben zijn wens gerespecteerd.'

Ajala staarde naar haar handen, die in haar schoot lagen.

'We hebben vandaag bericht van hem gekregen. De reis naar zijn familie heeft veel van zijn krachten gevergd. Daarom blijft hij nog een paar dagen langer weg.'

Bleef hij nog langer weg? Dat kon helemaal niet. Ze had hem nodig! Er was een complot tegen de koning gaande. Odmund moest terugkomen, zo snel mogelijk.

'Ajala.'

Bij het horen van haar naam keek ze op. Recht in de bezorgde ogen van de koning.

'Ik weet dat je te jong bent voor deze verantwoordelijkheid. Maar Odmund is ervan overtuigd dat jij het kan. Wij willen dat jij de nieuwe hofduider wordt.'

De woorden van de koning staken als een mes. Nu kon ze niet langer vasthouden aan een onrealistisch sprankje hoop. Odmund ging dood en zij werd de nieuwe hofduider. Daar droomde ze al van sinds ze bij Odmund in de leer was. Maar zo had ze het nooit gewild. Odmund mocht niet sterven. Ze was er helemaal niet klaar voor!

'Ajala, zeg eens iets.'

'Excuses, hoogheid,' was het enige dat ze kon bedenken.

De koning legde zijn hand op haar onderarm. 'Je staat er niet alleen voor. Als Odmund terugkomt, gaat hij uit actieve dienst. Maar hij zal nog zo veel mogelijk kennis aan je overdragen. Al zei hij dat je een getalenteerde duider bent. Beter dan hij.'

Ze schudde haar hoofd. Hoe kon zij beter zijn dan Odmund, de man met een leven lang ervaring?

'Ajala, vanaf nu behoor je tot mijn binnenste en belangrijkste kring adviseurs. Er zal veel veranderen. Als duider heb je misschien niet meer zo veel te leren, maar er zijn nog een heleboel zaken waar jij geen weet van hebt. Je zult je als jonge vrouw moeten begeven tussen volwassenen die van politieke spelletjes een kunst hebben gemaakt. Daarom zul je vanaf morgen halve dagen met Reinold meelopen.'

Met Reinold? De man met de gevaarlijke ogen? Zoals hij daar stond, afwachtend naast de bank, klein van postuur, zag hij er niet dreigend uit. Zij wist wel beter.

'Ik geloof dat ik je overval,' zei de koning en hij glimlachte flauwtjes.

Ajala schudde haar hoofd om de verwarring van zich af te schudden. Aan een duider die haar tong verloor bij iedere schok had de koning niets. 'Ik zal uw vertrouwen waarmaken, hoogheid. Ik neem aan dat Reinold u verteld heeft waarom ik u wilde spreken. Volgens de Botten bent u in groot gevaar.'

De rimpels in het voorhoofd van de koning werden dieper. 'Reinold heeft me ingelicht. Wat ik je zo ga onthullen, is een van de grootste geheimen van mijn regeringsperiode. Een geheim waar ik niet trots op ben.' De koning sprak de woorden langzaam, alsof hij verzonken was in herinneringen. 'De koningin is niet gestorven bij de bevalling van prinses Amitha.'

'Wat?' Ajala had gesproken voor ze er erg in had. Ze voelde de afkeurende blik van Reinold branden.

Gelukkig leek de koning haar niet gehoord te hebben. 'Toen de koningin zwanger was, kwam ik erachter dat ze een verhouding had met een andere man.'

Ajala klemde haar kaken op elkaar om niet opnieuw haar verbazing uit te schreeuwen. Had de koningin een affaire gehad?

'Waarschijnlijk weet je wel dat een verhouding wordt gezien als verraad aan de kroon. En op verraad staat de doodstraf. Ik gaf haar de keus. Als zij haar relatie opgaf en zou onthullen wie haar minnaar was, zou ik haar leven sparen. Zijn leven moest vanzelfsprekend beëindigd worden. Ze weigerde. Ze weigerde zijn naam te noemen. Ze verkoos zijn leven boven het hare en liet me geen keus. Nadat prinses Amitha geboren was, moest ik haar laten doden.'

Ajala wist niet wat ze hoorde. De koningin was geëxecuteerd. Al die tijd had iedereen geloofd dat koningin Godilla was gestorven in het kraambed. In plaats daarvan was ze gedood wegens verraad. En prinses Amitha? Zou zij het weten? Was ze wel een dochter van koning Adelhart?

Het duizelde haar. Later was er tijd om na te denken over dit nieuws, nu moest ze zich concentreren op de duiding. De gemaskerde vriend...

'Hoogheid, weet u nu wel wie het was?' De vraag kwam er onhandig uit.

'We zijn nooit achter de identiteit van de verrader gekomen,' zei de koning met een zucht.

'Die man haat u om wat u gedaan heeft. Hij heeft zich met de Deemster Vorst verbonden om u ten val te brengen.' Er kon geen andere conclusie zijn. De Botten hadden haar alle puzzelstukjes gegeven en ze pasten naadloos in elkaar.

'Denk je dat echt, Ajala?' Reinold ging voor haar staan. 'Het is bijna vijftien jaar geleden. Denk je niet dat de verrader allang geprobeerd had om wraak te nemen?'

'Ik weet niet waarom hij zo lang heeft gewacht. Maar de Botten waren duidelijk. Het is die verrader die opgedoken is in mijn duiding. Het is iemand uit uw naaste omgeving, iemand die zich als een vriend voordoet.' Misschien wel uw lakei, dacht ze.

Zowel Reinold als koning Adelhart keken zorgelijk. 'Ik geloof dat wij ons ernstig moeten beraden over jouw woorden en jouw waarschuwing,' sprak de koning.

Ajala begreep de hint, de heren wilden zonder haar verder praten. Blijkbaar waren er nog meer geheimen waar zij niets van mocht weten.

Ze stond op en maakte een buiging. 'Dan zal ik u alleen laten.'

'Je hoeft niet voor me te buigen,' zei de koning zacht. 'Dank je wel, Ajala, voor je oplettendheid en je waarschuwing. En dat je dit alles zo moedig opneemt. Als je meer duidelijkheid krijgt, laat het dan onmiddellijk weten.'

Ze gloeide van trots. 'Natuurlijk, hoogheid.'

Diep in gedachten verzonken liep Ajala in de richting van de kasteeltuin. Het was te veel om te bevatten. Odmund, haar aanstelling, in de leer bij Reinold, het ongelofelijke geheim van de koningin, de verrader.

Net voor ze de poortdeur naar de kasteeltuin bereikte, viel haar oog op iets wits dat uit de rode mossen stak die het pad overdekten. Ze bukte. Haar mond viel open. Het Bot van de Verselle! Het Koningsbot. Tranen sprongen in haar ogen toen ze haar hand om het Bot klemde. Op het moment dat haar leertijd voorbij zou zijn, zou het eerste Bot vanzelf verschijnen. Ze had altijd gedacht dat Odmund een mooi verhaal vertelde als hij zei dat de Botten vanzelf naar de duider kwamen. Hoe kon een Bot nou verschijnen?

Het bewijs lag in haar hand. Het eerste Bot had haar gevonden. Nu mocht ze op zoek naar haar eigen Botten. Zodra ze die compleet had, was ze een volleerd duider.

Voorzichtig streelde ze het Bot. 'Dank je voor je komst,' fluisterde ze. Ze huilde en lachte tegelijk.

Het leek alsof zijn plan stukje bij beetje afbrokkelde, als een eeuwenoude muur die niet langer weerstand kon bieden aan de elementen. Na de ontdekking van de dreiging in de bergen en de mislukte aanslag op de hertog werkte Ajala hem weer tegen, het kleine serpent. Adelhart had in allerijl de belangrijkste leden van het hof bijeengeroepen en verteld over de dreiging die Ajala ontdekt had. Gelukkig wist ze weinig, moest ze afgaan op de versnipperde gegevens die ze via de duidingen kreeg. Ze zou nooit alle stukjes informatie tot één geheel weten te vormen. Maar toch, ze had volgens Adelhart gesproken over een verrader...

Hij wilde haar langzaam en pijnlijk uit zijn wereld verwijderen. Maar zijn Heer had hem duidelijk gemaakt dat het kwaad al was aangericht en dat Ajala doden het alleen maar erger zou maken. Het was beter om haar te gebruiken.

Het was stil in het kasteel. Iedereen had zich teruggetrokken. Zelfs het altijd rondrennende personeel lag in bed. Alleen de wachters stonden op hun plek, op plaatsen waar hij toch niet kwam. De weg naar de werkkamer van Odmund was onbewaakt. Niemand kwam in die toren.

Het licht van de toenemende maan scheen door het dakraam waardoor de werkkamer van de hofduider in een zilveren gloed gehuld was. Hij stak zijn meegebrachte kaars aan en doorzocht de werkkamer. In een van de kasten vond hij de witte zak. Het fluweel voelde zacht aan, maar de inhoud van de zak prikte door de stof heen, alsof de Botten hem probeerden te verjagen. Hij lachte geluidloos. Ik ben niet bang voor jullie, dacht hij.

Hij opende de zak door het zilveren touw los te knopen. Het touw sneed in zijn vingers, brandde, maar hij verbeet de pijn en trok de zak open. Hij ontkurkte het flesje dat hij bij zich had. Zwart, zeer fijn magisch poeder gleed in de zak met Botten. Vanaf nu behoren jullie toe aan de Deemster Vorst. Vanaf nu laten jullie de duider zien wat ik wil dat ze te zien krijgt,' fluisterde hij.

Hij schudde de zak heen en weer, zodat het poeder zich aan alle Botten kon hechten. Het zou in de Botten kruipen, hen van binnenuit verderven.

Zoals hij ze gevonden had, legde hij de Botten terug in de kast. Hij blies de kaars uit en vertrok. Odmunds werkkamer weer in zilvertinten achterlatend.

HOOFDSTUK VI

Miron knoopte zijn overjas goed dicht. Het was koud in de bergen, zeker na een lange dag te paard. Ook Lanzo had zijn gezicht verscholen in de kraag van zijn overjas. De wind sneed gemeen.

De mannen van de hertog leken geen last te hebben van de kou. Rechtop zaten ze op hun paarden, zachtjes pratend maar voortdurend waakzaam.

'Hier zetten we het kamp op,' riep de hertog. Ze waren in een komvormig dal aanbeland dat omgeven werd door glooiende berghellingen. Door het dal liep een dun stroompje dat nauwelijks de naam rivier mocht hebben. Er groeiden wat bomen langs de oevers en aan de andere kant van het dal lag een bosgebied dat zich over een aantal berghellingen uitstrekte als een groene deken.

Miron was blij dat ze stopten. Vanavond zou het gebeuren. Dan waren hij en Lanzo verantwoordelijk voor de veiligheid van eenentwintig mannen. De eerste vier avonden hadden Denno en een andere soldaat hen begeleid tijdens het wachtlopen. Maar vanavond waren ze op zichzelf aangewezen. Denno zou bij het vuur blijven zitten, voor het geval er problemen waren.

Het vooruitzicht gaf Miron weer energie. Zoals iedere avond verzorgde hij zijn eigen en Lanzo's paard en zette hij hun tent op. Lanzo hoefde alleen het hout dat de soldaten gesprokkeld hadden naar de tent te brengen en te helpen bij het grote vuur met thee en soep. Tegen de tijd dat Miron zijn taken had afgerond, was de rest van het gezelschap bijna klaar met eten.

Miron ging naast Lanzo zitten en viel aan op zijn portie soep en gedroogd vlees alsof het een vijand was die hem kon ontsnappen. 's Avonds was het rustig in het kamp. Er werden geen stoere verhalen verteld of ruwe spelletjes gespeeld. De soldaten zaten in kleine groepjes bij het vuur te praten.

De hertog stond op. 'Een goede wacht, jongens,' zei hij waarna hij in de richting van zijn tent liep. Dat was het teken dat hun wacht begon.

'Wat er ook gebeurt, we roepen niet de hulp van Denno in,' fluisterde Lanzo. Die zin had hij die dag minstens tien keer herhaald. Helden hadden immers geen oppas nodig.

Ze hadden alles van tevoren doorgesproken zodat ze niet hardop hoefden te overleggen. De vijand zou hen kunnen afluisteren. Er mocht niets misgaan. Niet onder hún wacht.

Zoals afgesproken controleerde Lanzo de noordelijke en Miron de zuidelijke helft van het kamp. In een grote halve cirkel liep hij om het kamp heen, zijn ogen en oren op scherp, ieder detail en geluid in zich opnemend. Achter iedere boom kon de vijand schuilen, iedere schaduw bood dekking voor duistere praktijken. En er waren heel wat bomen en schaduwen!

Mirons hart klopte in zijn keel. Met een ervaren soldaat naast hem was het een stuk minder eng. Hij wenste dat Denno naast hem liep.

Er gebeurt niets, sprak hij zichzelf toe. Al die dagen is er niks gebeurd. Van de vijand is geen enkel spoor. Hij omklemde zijn zwaard zo stevig, dat het gevest in zijn handpalm sneed.

Toen hij aan het eind van zijn ronde het vertrouwde gezicht van Lanzo zag, ontsnapte hem een diepe zucht.

'Alles in orde,' rapporteerde Lanzo zoals ze geleerd hadden.

'Bij mij ook alles in orde.'

Ze liepen weer verder, nu nam Miron de noordelijke helft voor zijn rekening. Daarna inspecteerden ze samen de tenten die aan de oever van het stroompje waren opgezet en maakten een grote ronde door het hele dal. Tegen de tijd dat Miron weer een halve ronde alleen moest lopen, was hij doodop. De spanning was ondraaglijk. Overal kon de vijand op de loer liggen en het werd steeds donkerder. De schaduwen van de bomen omringden hem.

Houd je hoofd erbij, niets aan de hand.

Achter hem kraakte een tak. Wild draaide hij zich om. Niets. Stel je niet zo aan, dat was vast een eekhoorn of zo. Zacht blies hij zijn ingehouden adem uit en liep verder. Maar al zijn spieren bleven gespannen.

Zijn zwaard glibberde in zijn handen van het zweet en hij veegde zijn handen aan zijn broek af. Op dat moment omklemde een hand zijn mond. Miron kreeg bijna geen adem meer. Een krachtige, tweede hand hield hem muurvast bij zijn polsen. Terwijl hij zich los probeerde te worstelen, liepen de tranen over zijn wangen. Met zijn rechtervoet trapte hij hard achteruit. Zijn aanvaller vloekte gedempt maar liet hem niet los. De houdgreep werd nog steviger.

Als een tegenstribbelend varken werd hij door zijn aanvaller achteruit getrokken. Geluid, ik moet geluid maken, dacht Miron. De hoorn waarop hij bij gevaar moest blazen, hing onbereikbaar aan zijn riem. Hij probeerde op de grond te stampen, takjes te breken, alles om de soldaten in het kamp te alarmeren. Niemand scheen iets te merken.

'Het spijt me,' fluisterde een stem vlak bij zijn oor. Toen werd alles zwart.

Miron werd wakker van stemmen die op gedempte toon met elkaar spraken. Waar ben ik? Wat is er gebeurd? Meteen kwamen de herinneringen terug. Gevangengenomen. Hij had Lanzo en het hele kamp in de steek gelaten.

Hij lag in een tent op de grond, zijn handen en voeten gebonden. Naast hem lag een bekende gestalte. 'Lanzo,' zei hij. 'Lanzo, word wakker. Gaat alles goed met je?'

Langzaam opende Lanzo zijn ogen. 'Jij ook gevangen?' was het eerste dat hij zei.

Beschaamd keek Miron weg. 'Ben je in orde?'

'Ja, geloof ik, en jij?'

'Wat moeten we nu?' Miron hakkelde.

'Weg zien te komen, natuurlijk. We moeten de anderen waarschuwen. Of helpen.' Lanzo probeerde zich los te wurmen.

Miron probeerde ook om los te komen. Beelden van een gevangen hertog en dode soldaten drongen zich aan hem op. 'Het lukt niet!' riep hij.

'Sssst,' siste Lanzo. Maar het was al te laat. Voetstappen kwamen hun kant op. De tentflap werd opzij geschoven en in het schemerige kaarslicht stond een lange gedaante met een enorme neus.

'Vader?' Lanzo's stem droop van het ongeloof.

'Bijgekomen, jongens?' vroeg de hertog.

Miron knipperde met zijn ogen. De hertog verdween niet.

Heer Bauenold lachte. 'Doe jullie monden maar dicht, ik ben het echt.'

'Wat is dit? Maak ons los.' Lanzo kneep zijn ogen toe en keek zijn vader woedend aan.

'Dit was een les,' antwoordde de hertog.

'Een les?' Woest rukte Lanzo aan zijn touwen. 'Een les? Denkt u dat dit leuk is? Ik ben me rot geschrokken! Maak ons los!'

'Je kunt je inhouden of ik laat je nog een tijd vastgebonden zitten.'

'Wat?' riep Lanzo uit.

'Lanzo, stil nou. Luister naar je vader. Hij gaat ons vast vertellen waarom hij ons vastgebonden heeft.' Lanzo wierp hem een vernietigende blik toe en Miron liet zijn hoofd hangen.

De hertog kwam dichter bij, zakte door zijn knieën en maakte de touwen die Miron bonden los. 'Je spreekt verstandige woorden, jongen.'

'Verstandig? Maak me los, nu. Ik ben me doodgeschrokken!' tierde Lanzo.

De hertog hielp Miron overeind. 'Wrijf over je polsen en enkels, dat helpt om de bloedstroom weer op gang te krijgen. Houd jij je grote mond,' wendde hij zich tot zijn zoon.

Eindelijk bond Lanzo in. 'Ja, vader.'

De hertog bevrijdde ook Lanzo en nam hen mee naar het verlichte gedeelte van de tent waar Denno met twee warme mokken thee op hen wachtte. 'U heeft zich behoorlijk verzet, jongeheer Lanzo. Ik had moeite u te overmeesteren.'

De boze trekken op Lanzo's gezicht verzachtten een beetje. 'Waarom?' vroeg hij aan zijn vader.

'Dit was de ideale gelegenheid om jou een les te leren. Jij denkt dat je net zo veel weet als wij en dat je je met volwassenen kunt meten. Ik hoop dat je nu inziet dat je nog een heleboel te leren hebt.' De hertog keek grimmig.

Lanzo ontweek de blik van zijn vader. Hij zou nooit toegeven dat de hertog gelijk had. Miron zuchtte van opluchting. Als het de vijand was geweest dan hadden zij iedereen de dood in kunnen jagen omdat ze zo nodig alleen wacht wilden lopen. Omdat ze helden wilden zijn.

'Ik stel voor dat jullie naar bed gaan. Morgen vertrekken we weer vroeg.'

'Welterusten, vader,' zei Lanzo afgemeten en beende de tent uit. Miron holde de hertogszoon achterna.

'Blijf uit mijn buurt,' zei Lanzo toen Miron naast hem kwam lopen. 'Wat ben jij voor laffe page? Eerst laat je je gevangennemen en dan praat je mijn vader na als een dom schaap. Door jou is alles verpest.'

Miron kromp in elkaar. Hij vertraagde zijn pas zodat Lanzo voor hem uit liep. Zonder nog een woord te wisselen, gingen ze naar bed. Het duurde lang voordat Miron in slaap viel. De woorden van Lanzo spookten door zijn hoofd. Hij was een laffe page.

De volgende dag had Miron het idee dat de soldaten hem achter zijn rug uitlachten. Niemand sprak hardop over hun mislukte wacht, maar hij hoorde de mannen denken. *Wat een nietsnut. Kan niet eens het kamp bewaken. Kinderen horen thuis.*

Lanzo wilde niet praten over wat er gebeurd was en hij keurde Miron geen blik waardig.

Ze reden door de bergen, zochten naar sporen, letten op onregelmatigheden, maar vonden niets. Waar zat de vijand toch? Miron had het idee dat het zinloos was wat ze deden.

In de verhalen waren missies en avonturen niet saai. De helden hoefden niet eindeloos lang te paard te zitten terwijl er niets gebeurde. Als hij en Lanzo avonturen bedachten, vonden ze de tegenstanders meteen dankzij hun spoorzoekerkunsten, overwonnen ze hen in een bloedig gevecht en keerden met een mooie buit terug naar huis.

De werkelijkheid bestond uit een koud ontbijt, middageten te paard, pijnlijke billen aan het eind van de dag en 's avonds gedroogd vlees met alweer dezelfde soep. Miron miste de warmte van de haardvuren, de geur van versgebakken brood, de luxe van een dak boven zijn hoofd en het allerbelangrijkste: het goede humeur van zijn vriend.

Denno wees een plek aan op de kaart. 'Als het goed is, zijn we niet ver van dit meer. Zullen we daar het kamp opslaan? De zon zal snel ondergaan.'

De hertog wierp een blik op de zon en knikte.

Miron was blij dat er een einde kwam aan weer een lange dag. Maar dat betekende wel dat hij met Lanzo in een krappe tent opgesloten zou zitten. En dat er weer een wacht aankwam. Zouden ze nog mogen meelopen? Of werd er verwacht dat ze hun les geleerd hadden en zich terugtrokken in hun tent zonder de volwassenen lastig te vallen?

Al snel kwamen ze bij het meer. Het water glansde donker in het licht van de laaghangende zon. Het meer werd omringd door statige efdoornen met grijze stammen, puntige bergtoppen piekten op de achtergrond en er was ruimte genoeg aan de oever om de tenten op te zetten. Een mooie plek om te overnachten, maar toch klopte er iets niet.

Ook de mannen van de hertog leken aan te voelen dat er iets mis was. Normaal gesproken haastten ze zich om met hun taken te beginnen. Nu speurden ze om zich heen. Zonder te spreken wees de hertog twee mannen aan. Zij gleden uit het zadel en gingen op onderzoek uit. Denno manoeuvreerde zijn paard naast dat van Lanzo. Met zijn wijsvinger tikte hij tegen zijn lippen.

Dat was het! Het was hier veel te stil. Geen vogels die fladderend overvlogen of zongen, geen gekraak van takjes omdat dieren zich uit de voeten maakten, zelfs geen insecten die zoemden of bromden. Het leek wel alsof de hele plek dood was. Pas nu vielen hem de hangende toppen van de efdoornen op. Niet alleen hun stammen waren grijs, ook de randen van hun bladeren. Het taaie berggras dat hier en daar in plukjes groeide, hing er slap bij. Aan de overkant van het meer lag iets. Miron kon niet zien wat het was. Maar hij zag nu wel de dode vissen die aan de oever lagen en op het wateroppervlak dreven.

De soldaten grepen naar hun zwaarden. Toen Miron zijn hand op zijn gevest legde, schudde Denno zijn hoofd. Was hij zover in achting gedaald? Miron liet zijn schouders hangen.

Ergens was gevaar, maar waar? Hij wilde beschutting zoeken. Ze zaten hier onbeschermd op hun paarden. Een goed gerichte pijl en de hertog of Lanzo was dood. Waarom vormden de mannen geen beschermende muur om hen heen? Waarom deed niemand iets?

Miron hapte naar adem. Rustig blijven. Gewoon doorademen.

De mannen die de hertog had aangewezen, hadden inmiddels de andere kant van het meer bereikt. Daar stonden ze een tijdje stil bij de vreemde bult die aan de oever lag. Daarna liepen ze verder.

Stil en gespannen wachtten ze tot de mannen van hun ronde terugkwamen. 'Heer,' begon een van de soldaten zijn verslag, 'er is geen gevaar, maar dit meer is zo dood als dood maar zijn kan. Het stinkt naar verderf en verrotting, aan de oevers liggen dode vissen. Er zijn geen insecten, geen vogels, zelfs de planten en de bomen rotten weg. Aan de overkant ligt een gems. Zelfs de aaseters hebben hem laten liggen. Al het leven lijkt hier verdwenen.'

Miron rilde. Wat kon er gebeurd zijn? Had de Deemster Vorst dit meer als zijn verblijfplaats gekozen? Er werd gezegd dat alles wat groeide en leefde in het licht, stierf in de omgeving van de Heer van de Schemering. Ze moesten hier weg! Straks dook hij op uit het meer en strekte zijn klauwen naar hen uit om hen allemaal te grijpen.

'Er is geen direct gevaar, mannen,' riep de hertog. Iedereen ontspande, behalve Miron. Hoe kon de hertog zeggen dat er geen gevaar was? Een dood meer was toch niet normaal?

'Kijk of jullie erachter kunnen komen wat hier gebeurd is. Daarna trekken we verder, ik wil de nacht hier niet doorbrengen.'

Miron moest er niet aan denken om zijn tent aan de oever van dit meer op te zetten. Hij zou geen oog dicht doen.

'Kom,' zei Lanzo en hij sprong van zijn paard. De frons die de hele dag op zijn voorhoofd had gezeten, was verdwenen.

Miron ging de hertogszoon achterna, die recht op het meer

afliep. Hij hurkte bij de oever. Miron keek over zijn schouder mee, zijn hand op zijn zwaard, en speurde naar monsters die hen konden verslinden.

'Gatver, wat een stank. Moet je eens ruiken, Miron.'

Miron wilde Lanzo geen reden geven om weer boos te worden, dus kwam hij dichter bij en zakte door zijn knieën. De geur van verrotting hing boven het wateroppervlak. Miron walgde en ging snel rechtop staan. Lanzo stak zijn hand uit naar het water. Met een ruk trok Miron Lanzo's arm naar achteren. 'Niet doen!'

'Ga iets halen waarmee we wat water kunnen opscheppen. Ik wil het van dichtbij zien,' zei Lanzo.

Miron rende naar zijn paard en haalde een houten nap uit zijn bagage. Hij hield gespannen zijn adem in toen Lanzo de nap aanpakte en door zijn knieën zakte om het dode water op te scheppen. 'Pas op dat je het niet aanraakt. Het kan gevaarlijk zijn.'

'Natuurlijk. Als ik niet uitkijk, eet het me op.' Voorzichtig kwam Lanzo omhoog met de nap vol water. Hij draaide de nap rond en schudde er zachtjes mee. 'Niets aan te zien. Het stinkt als verrot vlees, maar verder zie ik er niets bijzonders aan,' zei hij teleurgesteld. Hij duwde de nap in Mirons handen. 'Hier.'

Miron gooide de nap ver van zich af en liep de hertogszoon achterna.

Zacht streelde hij Amitha's lange, zachte haren. Ze was sprekend haar moeder. De rechte, smalle neus, de hoge jukbeenderen, het eigenwijs uitstekende kinnetje en de lange wimpers waarmee ze iedere man kon verleiden. Hoe ouder ze werd, hoe pijnlijker het was om naar haar te kijken. In alles leek ze op Godilla: haar handgebaren, de manier waarop ze liep, zelfs de manier waarop ze haar stem kon buigen.

Het zweet parelde op haar voorhoofd. Gisteren was ze ziek opgestaan. Adelhart was in alle staten geweest, was ervan overtuigd dat de gemaskerde man een aanslag op zijn dochter had gepleegd. Zelfs de kruidenvrouw kon hem niet overtuigen dat prinses Amitha gewoon verkouden was. Toen het meisje ook nog koorts kreeg, was het kasteel te klein geweest. Hij glimlachte bij de herinnering aan de angst in de ogen van Adelhart.

Alleen hij wist dat het een natuurlijke ziekte was. Hij zou zijn dochter nooit iets aandoen. Jarenlang had hij gedacht dat zij het was, het kind waarin de Deemster Vorst zou neerdalen vijftien jaar na de moord op Godilla. Dat Adelhart door haar hand zou sterven en dat Amitha de machtigste en belangrijkste vrouw ooit zou worden.

Was hij maar niet zo onervaren geweest en niet zo verscheurd door verdriet. Dan had hij een beter plan bedacht, een plan dat onfeilbaar was en niet afhing van het leven van één kind. Dan had hij ook de woorden van het ritueel zorgvuldiger gekozen.

Hij herinnerde het zich nog als de dag van gisteren. In de nacht waarin Amitha was geboren en zijn Godilla was vermoord, had hij in tranen boven de ketel gestaan waarin hij zijn haar, zijn nagels en een stukje van zijn huid met water had vermengd om zijn leven en lichaam in dienst te stellen van de Deemster Vorst. Hij wachtte tot het water kookte, tot de dampen opstegen naar zijn nieuwe Heer.

'Heer van de Schemering, hoor mij aan. Accepteer mijn lichaam en mijn ziel als de uwe. Vanaf nu heb ik slechts één doel, uw terugkomst bewerkstelligen.' Hij voegde een aantal druppels van zijn bloed toe aan het mengsel in de ketel. 'Ik vraag u om mijn wraak te zijn. Laat Adelhart en zijn hele geslacht bloeden voor wat hij mij en mijn geliefde heeft aangedaan. Ik geef u een lichaam in ruil voor wraak.'

Van stro en lappen had hij een pop gemaakt, die het nieuwe lichaam van zijn Heer voorstelde. Hij dompelde de pop onder in het mengsel in de ketel. 'Ik bied u het kind aan dat vannacht geboren is. Dat kind zal uw lichaam zijn bij uw terugkeer, vandaag over vijftien jaar.'

Amitha bewoog onrustig in haar slaap waardoor hij terugkeerde naar het heden. Het was tijd om te gaan. Hij had al te lang aan haar bed gezeten. 'Word snel beter. Ik heb je straks nodig aan mijn zij,' fluisterde hij zo zacht dat het nauwelijks hoorbaar was.

HOOFDSTUK VII

Ajala liep doelloos door de werkkamer. Haar hoofd zat vol. De lessen van Reinold waren uitputtend. De afgelopen vijf dagen had hij haar zo veel verteld, haar zo in verwarring gebracht en haar beeld van het hof zo op z'n kop gezet, dat ze niet eens in staat was om een boek te lezen, laat staan een duiding te doen. Al die jaren had ze gedacht dat de belangrijke beslissingen in de troonzaal werden genomen, in overleg met de hertogen, de strijdadviseur, de lakei en de broer van de koning. Zij bleken niets meer te zijn dan mooi aangeklede poppen. Ajala had in een droomwereld geloofd maar nu was ze ruw uit die droom ontwaakt.

Het koninkrijk werd niet overdag bestuurd, maar 's avonds en 's nachts, als iedereen op bed lag. Dan kwamen koning Adelhart, Reinold en Odmund bij elkaar en bespraken de zaken die werkelijk van belang waren. Zaken die het daglicht niet konden verdragen, zoals de executie van de koningin. Nog steeds gruwde ze bij de gedachte. Hoe had de koning zijn vrouw tot de dood kunnen veroordelen? Als ze hem nu zag zitten, vriendelijk glimlachend naar de mensen om hem heen, zag ze een heel andere man dan voorheen. Ze kon zich bijna voorstellen waarom een vriend een vijand werd. Maar die gedachte onderdrukte ze heel snel. Koning Adelhart was goed voor zijn onderdanen, had vrede en veiligheid gebracht. Zonder hem zou het koninkrijk zo weer in oorlog zijn met het koninkrijk Raal. Aan de andere zijde van de bergen stonden de bloeddorstige soldaten van Raal klaar om het koninkrijk binnen te vallen als koning Adelhart ook maar een moment de verdediging zou laten verslappen.

Nu begreep Ajala waarom Odmund 's ochtends zo laat uit zijn bed kwam en waarom hij altijd meer leek te weten dan dat de duidingen aangaven.

Dat Reinold ook tot *de drie* behoorde, verbaasde haar niet langer. Hij was veel meer dan een nieuwsgierig mannetje dat alle roddels opving, zoals de meeste mensen hem zagen. Gisteren had hij haar meegenomen naar zijn werkkamer. Een magistrale ruimte die van het wijnrode tapijt tot het hoge plafond vol stond met kasten met boeken en papierrollen. Ondanks het openstaande raam rook het er muf, naar oud papier. Ajala voelde zich klein en onwetend met zo veel kennis om zich heen. Maar dat belette haar niet om Reinold tegen te spreken in een verhitte discussie.

'Als niemand ervan af wist, waarom moest de koningin dan dood? Als de koning echt zo veel van haar hield, had hij haar laten leven,' had ze gezegd.

Reinold schudde zijn hoofd. 'Er is zo veel wat je nog niet weet, meisje. Zo veel wat je niet kunt begrijpen. De koning had geen keus.'

'Leg het me dan uit!' riep ze. 'Jullie verwachten dat ik tot de belangrijkste personen van dit land ga horen. Tegelijkertijd behandelen jullie mij als een kind. Ik ben geen meisje meer!' Ze stond op en draaide Reinold haar rug toe. Hoe kon ze op tegen mannen die dit spelletje al langer speelden dan dat zij leefde? Moest ze vechten voor haar plek als hofduider of kon ze beter opgeven?

'Ajala, draai je om.' Het was geen verzoek. 'Ik bouw al jaren op Odmund. We weten precies wat we aan elkaar hebben. Het is voor mij ook even wennen om met jou samen te werken.'

Ze ging weer zitten. Ze had er niet bij stil gestaan dat het voor Reinold ook moeilijk moest zijn. In plaats van met de man die hij vertrouwde, moest hij nu samenwerken met een jonge vrouw zonder enige ervaring. 'Ik wil een waardig opvolger van Odmund zijn. Maar om mijn werk goed te kunnen doen, moet ik alles weten. Je zult me moeten vertrouwen,' zei ze.

Reinold keek diep in haar ogen. Ben je te vertrouwen? klonk het in haar hoofd. Ze kreeg de neiging al haar geheimen, twijfels en angsten met hem te delen.

Hij deed het weer, realiseerde ze zich. Op dat moment was het voorbij. Ze vloog op en keek op de zittende man neer. 'Wat heb jij voor magische krachten?'

'Waar heb je het over?' vroeg Reinold op een nonchalante toon.

Ze sloeg met haar vuist op de tafel. 'Ik ben die spelletjes zat. Als wij moeten samenwerken, dan wil ik nu de waarheid. Anders kun je tegen koning Adelhart zeggen dat hij een andere hofduider mag zoeken.'

Zijn lippen vertrokken tot een smalle streep. 'Ga zitten, Ajala. Je hebt gelijk.'

Het duurde even tot zijn woorden door haar boosheid drongen. Uiteindelijk nam ze plaats op haar stoel, haar armen voor haar borst gekruist.

Reinold schraapte zijn keel en keek ongemakkelijk. Hij zag er oud en breekbaar uit. 'Ik heb geen magische kracht, zoals jij. Maar ik heb wel het vermogen om door te dringen tot de gedachten van andere mensen. Door ze diep in hun ogen te kijken, zie ik wie ze zijn, wat ze willen en wat ze denken. Het lukt me niet altijd. Sommige mensen, zoals jij, bieden weerstand en laten zich niet meevoeren. Bij een kleine groep mensen kan ik opdrachten in hun hoofd planten die zij uitvoeren en daarna vergeten.'

Ajala wist niet wat ze hoorde. Als je mensen dingen kon laten doen die ze zich later niet eens herinnerden... Reinold was een gevaarlijke man. Een heel gevaarlijke man. Hoe kon ze weten dat hij zijn vermogens niet op haar toepaste? Misschien had hij haar al vreselijke dingen laten doen zonder dat ze het wist. Kon ze hem ooit vertrouwen?

'Ik snap waarom de koning op jou bouwt,' zei ze behoedzaam. 'Ik hoef je niet te vertellen dat niemand hiervan weet.'

Ze begreep dat hij een groot risico nam door haar dit te vertellen. Als bekend werd dat Reinold gedachten kon lezen en mensen kon manipuleren, zou de koning hem niet langer als geheim wapen kunnen inzetten. Hij nam haar in vertrouwen. Maar wat betekende het vertrouwen van een man die je gedachten kon beïnvloeden?

'Ajala?' In zijn ogen stond twijfel. Hij had zich blootgegeven, nu was het aan haar.

'Ik zal eerlijk zijn, Reinold, ik vind jouw vermogen eng. Als wij samen gaan werken, wil ik er zeker van zijn dat je je vermogen niet op mij gebruikt.'

Hij stak zijn hand uit. 'Afgesproken. Je hoeft je trouwens echt geen zorgen te maken. Jij bent te sterk voor mijn vermogen.'

Ze nam zijn uitgestoken hand aan.

Ajala schudde de herinnering van zich af. Ze had Reinold een dag vrij gevraagd. Sinds de avond dat koning Adelhart haar tot hofduider benoemd had, had ze geen fatsoenlijke duiding meer gedaan. Ze had nog wel enkele halfslachtige pogingen ondernomen, maar het lukte haar niet om zich te concentreren. Vandaag zou ze al haar aandacht op de dreiging voor de koning richten. Er waren zo veel vragen dat ze niet wist waar ze moest beginnen. Wie was de gemaskerde man? Wat hield de dreiging in?

Ze liep naar de kast en pakte de zak met Odmunds Botten. Zacht streelde ze de Botten door het fluweel heen. Een koude rilling liep over haar rug. De Botten zongen niet naar haar. Waren ze boos omdat zij ze had laten slingeren? 'Het spijt me, echt. Ik heb jullie hulp nodig.' Nog nooit hadden de Botten zo afstandelijk gevoeld. Vijandig bijna. Was dat alleen omdat Ajala ze niet had opgeruimd? Of waren de Botten van Odmund afscheid aan het nemen? Ze stopte haar hand in de zak en raakte de Botten teder aan. 'Help me, alsjeblieft. Ik heb antwoorden nodig, ik mag de koning niet teleurstellen.'

De Botten rammelden.

Ajala glimlachte opgelucht. Midden in de werkkamer stonden twee tafels tegen elkaar aan. Eentje was altijd leeg om duidingen op te doen. De andere tafel lag vol met *onder handen zijnde werk*, zoals Odmund dat noemde. Rotzooi dus. Ze liep naar de duidingstafel, spreidde de legdoek uit en maakte haar hoofd leeg. 'Ik vraag om inzicht in de vorige legging. Hoe zit het met die volwassene en dat kind? Op welke manier spelen zij een rol?'

Ze schudde de Botten en wierp ze. Ratelend namen ze hun plaats in. In het midden lagen het kleine en het grote Andysbot, het kind en de volwassene waar deze duiding om draaide. Deze keer lagen ze half op elkaar, alsof ze één waren. Het gaat ook om één persoon, flitste het door haar hoofd. Om iemand die geen kind meer was maar ook nog niet volwassen.

Onder de Andysbotten lagen Reiig en Verèn, het verkleinbot. Het ging om iemand van belang, een edele waarschijnlijk. Maar wat betekende Verèn? Dat het om een jonge edele ging? Dat wist ze al door de Anysbotten. Het moest iets anders zijn. Een niet zo belangrijke edele? Nee, dat was het niet. 'Help me, Botten,' fluisterde ze.

Het Verènbot maakte dingen kleiner, zwakte ze af, stond voor onbeduidende zaken. Dat was het. Het ging om een onbeduidend iemand in het gevolg van een edele. Ze zuchtte. Dat kon iedereen zijn, van de kok tot de soldaten tot de kamermeisjes of de staljongens. Er moest meer zijn. Haastig zocht ze naar aanwijzingen op de rest van de legdoek.

In het kwartier van de beslissende factoren lag het zwartgeblakerde Bot van het element vuur. Daarnaast lag Berstin, het ging dus om een teken, misschien zelfs visioenen. Ze zou de persoon kunnen herkennen door een teken of visioenen van vuur.

Het was niet veel, maar het was iets. Meer Botten lagen er niet op de legdoek.

Ze bedankte de Botten en borg ze zorgvuldig op. De flarden informatie dreven als mistslierten door haar hoofd. Wat betekende dit? Moest ze die persoon vinden? Hij was een beslissende factor, dus het antwoord was: *ja*. Hoeveel tijd had ze nog?

Uit de kast pakte ze een werpdoek die ze zelf ontworpen had om tijdvragen mee te beantwoorden. Odmund wilde niet dat ze hem gebruikte. Volgens hem spraken Voorspellers in beelden, niet in concrete getallen. Toch had Ajala er al een paar keer een nauwkeurige tijdvoorspelling mee gedaan.

De werpdoek was verdeeld in drie vakken die de dagen, de manen en de jaren aangaven. Ze had een zakje met veertig even grote kiezels die ze stuk voor stuk in het licht van de volle maan gevonden had. Die gooide ze boven de werpdoek leeg en vertrouwde erop dat de kiezels op de juiste plek terechtkwamen. Meerdere kiezels rolden op de tafel, sommige op de grond. In het vak dat het aantal dagen aangaf, lagen twintig kiezels. De andere twee vakken waren leeg.

Ze had nog twintig dagen om de jongvolwassene te vinden en de gemaskerde man te onthullen. Dan zou het donkere maan zijn. In de nacht waarop de kracht van de Deemster Vorst zichtbaar was, als Mirmana niet in de gelegenheid was om over hen te waken, zou het gebeuren. Ze kreeg er krampen van in haar buik.

Terwijl ze de werpdoek opborg, viel haar oog op haar Kaarten. Ze zou één Kaart trekken, om haar tijdduiding te controleren. Odmund zou ook de Kaarten om raad gevraagd hebben.

Ze schudde haar Kaarten net zo lang tot er één uitviel. Ze draaide de Kaart die eruit gevallen was om. Het was de Kaart van de volle maan, die ze op zijn kop vasthield. Er was geen twijfel meer: het ging gebeuren als de maan afwezig zou zijn.

De volgende middag schrok Ajala toen de deur van Odmunds werkkamer zonder een klop of andere aankondiging openging. Met al haar spieren gespannen draaide ze zich om. 'Odmund!' riep ze uit.

Odmund liep op haar af. Ajala schrok van zijn ingevallen wangen en de donkere kringen onder zijn ogen. Voordat hij op reis ging, was hij al mager, maar nu tekenden zijn botten zich duidelijk af onder zijn dunne huid. Doordat zijn grijsbruine haar in de war en vol zat met zand en stof, leek hij jaren ouder.

'Oh, Odmund, wat ben ik blij dat je er weer bent!' Ze sloeg haar armen om hem heen. Hij rook naar zuur zweet.

'Nou, nou, wat een welkom,' zei Odmund en hij maakte zich los uit haar omhelzing. Hij ontweek haar blik.

'Ga zitten,' zei ze en schoof zijn stoel tegen zijn benen aan waardoor hij wel moest gaan zitten. 'Je moet uitgeput zijn van de reis. Wil je iets te eten of te drinken? Ik ga het voor je halen. Of wil je liever rusten. Zal ik een verwarmde steen halen? Een lekker warm bed...'

'Ajala,' onderbrak hij met een zucht haar woordenstroom. 'Ga zitten, kindje, we moeten praten.'

'Eerst moet je bijkomen van je reis, praten kan later. Wat wil je drinken?'

'Ga zitten,' zei hij op een toon die geen tegenspraak duldde.

'Ja, Odmund,' antwoordde ze zonder nadenken en schoof haar stoel aan.

'Het spijt me,' zei hij zacht. 'Ik kon je niet vertellen over mijn ziekte, ik vreesde de verdrietige blik waarmee je me nu aankijkt. Zo wil ik niet dat je naar me kijkt, Ajala.'

Hij boog zich steunend voorover en pakte haar hand. Pijn en

verdriet waren zichtbaar in zijn grijsblauwe ogen. Ajala beet op haar lip om haar tranen te bedwingen. Ze wilde zijn kwetsbaarheid niet zien. Ze wilde niet machteloos toekijken hoe haar leermeester wegkwijnde. Ze wilde wakker worden uit deze nachtmerrie.

'Het is goed zo. Ik heb een mooi leven gehad, mijn tijd is bijna voorbij. Je weet, toeval bestaat niet. Jij bent klaar om mij op te volgen.'

'Nee.' Ze wilde niet huilen waar hij bij was, maar de genegenheid die uit zijn vermoeide ogen sprak, brak de muur die ze de laatste tijd had proberen op te bouwen.

Odmund veegde de tranen van haar wangen. 'Niet huilen, kindje. Ik heb nooit geweten wat ik moest doen als je huilde. Ik wil niet de reden van je tranen zijn.'

Daar moest ze alleen maar harder van huilen. De tranen stroomden als warme regen over haar wangen.

'Kom, kom,' zei hij en klopte haar onhandig op haar arm.

Ze veegde met haar mouw haar tranen weg. Ze wilde voor hem zorgen zoals hij voor haar had gezorgd toen zij het nodig had. Dan kon ze niet onbeheerst zitten huilen. 'Het spijt me,' zei ze met een laatste snik en stond op. 'Wil jij ook wat water?'

'Is er geen wijn meer?' vroeg hij met een glimlach.

'Ik wist niet dat je vandaag terug zou komen. Zal ik wijn gaan halen?'

'Voor nu is water goed genoeg. Je mag dan wel gepromoveerd zijn tot hofduider, dat wil niet zeggen dat je je taken mag laten verslonzen. Je hoort ervoor te zorgen dat er altijd wijn is. Water...' zei hij terwijl hij zijn neus optrok.

Ze kon niet anders dan lachen. Wat hield ze van die oude brompot. 'Ik zal ervoor zorgen,' antwoordde ze terwijl ze een mok water voor hem inschonk.

Toen ze weer tegenover hem zat, zei hij: 'Stel je vraag maar.'

'Ik heb zo veel vragen. Hoelang heb je nog? Heb je pijn? Is er niets dat de kruidenvrouwen voor je kunnen doen? Kan ik iets voor je doen?'

'Niemand weet wanneer hij dood gaat, ik ook niet. En nee, ik heb er geen duiding aan gewijd. Maar het zal niet lang meer duren. Het lijkt alsof ik van binnenuit wordt opgegeten. Iedere dag is er minder Odmund en meer ziekte. De pijn valt wel mee, maak je niet al te veel zorgen.'

Hoe kon hij dat nou zeggen? Hij zat voor haar ogen dood te gaan en zij mocht zich geen zorgen maken?

Odmund sloeg de hele mok water in één teug achterover en veegde met een tevreden *aaah* zijn mond af. 'Genoeg over mij. Laten we het over de ontwikkelingen hier hebben. Reinold is net met me meegelopen en heeft me verteld dat jij een dreiging voor de koning hebt ontdekt. Geef me een uitvoerig verslag.' Er zat weer kracht in zijn stem.

Zo kende ze Odmund. Ze vertelde hem alles. 'We hebben nog negentien dagen,' besloot ze haar verhaal.

Odmund had in stilte geluisterd. 'Ik ben trots op je, ik had het zelf niet beter kunnen doen,' zei hij.

Ze werd warm van zijn woorden. 'Dank je,' fluisterde ze.

'Wat is je volgende stap?' vroeg hij.

'Dat wilde ik aan jou vragen. Ik ben zo blij dat je weer terug bent.'

Hij schudde zijn hoofd. 'Dit is jouw verantwoordelijkheid. Jij bent de hofduider, Ajala.'

Nee! Dit probleem is veel te groot voor mij. Jij moet de leiding nemen, dacht ze. Maar Odmund had gelijk. Straks zou ze het ook alleen moeten doen. 'Ik zal nadenken over mijn volgende stappen. Tot die tijd hoop ik dat jij wat vragen wilt beantwoorden. Er is zo veel wat ik nog niet weet.'

'Waar kan ik je mee helpen?'

'Prinses Amitha, is zij een dochter van de koning?' Haar eerste vraag floepte er zomaar uit.

'Nieuwsgierig meisje,' zei Odmund terwijl hij knipoogde.

'Het is van belang voor de duidingen. Ik moet weten of zij ook in gevaar is. Of we de verrader misschien via haar kunnen opsporen,' sputterde ze tegen.

'Ja, ja, heel goed bedacht. Ik vrees dat ik je moet teleurstellen, want ik weet het antwoord niet. Al die tijd heeft koning Adelhart het antwoord op die vraag niet willen weten. Hij heeft mij zelfs verboden om er een duiding over te doen. En ik heb me aan zijn verzoek gehouden.'

'Waarom? Waarom wil hij het niet weten?'

'Omdat hij net zo van prinses Amitha wil houden als van prins Willeman. Zolang hij niet weet of hij daadwerkelijk de vader is, neemt hij aan dat zij zijn dochter is.'

'Maar het is toch van groot belang om het zeker te weten? Als prinses Amitha niet zijn dochter is, hebben we maar één troonopvolger. Dat is veel te gevaarlijk.'

'Je vergeet iets,' zei Odmund. 'Mocht er iets gebeuren met koning Adelhart en prins Willeman, dan is prinses Amitha de troonopvolgster. Niemand zal dat betwisten, want niemand weet hiervan. Alleen de koning, Reinold en ik.'

En ik... dacht Ajala. Zo'n groot geheim was niet verborgen te houden. Hoe zat het met degene die koningin Godilla gedood had? De kruidenvrouwen die bij de bevalling waren geweest? Wie weet tegen wie de koningin haar liefdesleven had opgebiecht. En dan was er de verrader nog. En de Voorspellers.

'Dat ben ik je helemaal vergeten te vertellen,' riep ze.

'Wat?'

'Ik heb mijn eerste Bot!'

'Echt? Kindje, dat is geweldig. Ik ben trots op je.'

Ajala straalde.

Ajala was gevaarlijker dan hij had gedacht. Het kleine serpent had haar giftanden in het probleem gezet en was niet van plan los te laten.

Laat haar maar graven, vragen stellen, duiden, dacht hij. Ze jaagt een hersenschim achterna. De Botten doen precies wat ik wil.

Hij lachte. Als Ajala de puzzelstukjes tot één geheel zou weten te vormen, zou ze achter de verkeerde aanjagen. Zou het niet mooi zijn als ze dacht dat ze het juiste kind gevonden had? Dan zouden ze tevreden achterover leunen. Hij verheugde zich al op de ontredderde blik in hun ogen als ze er op het laatste moment achterkwamen dat ze een dodelijke vergissing hadden gemaakt.

Achteraf was hij blij dat ze op de dreiging was gestuit. Adelhart was sindsdien door zorgen getekend. Laat hem maar zweten, beklemmende dromen hebben, de hele dag over zijn schouder kijken, dacht hij grimmig. Niets is erg genoeg. Hoe meer Adelhart lijdt, hoe beter.

Ondanks Ajala's speurwerk naar de gemaskerde man voelde hij zich veilig. Zijn identiteit was verscholen achter dikke lagen zwarte magie die hem al jaren beschermden. Daar konden die zielige Voorspellers niet doorheen dringen. Als Odmund hem niet kon ontmaskeren, dan kon dat kleine kreng het zeker niet.

Hij verduisterde zijn raam. Het licht van de toenemende maan verzwakte zijn duistere magie. Hij had zijn al kracht nodig, er moest een vurig teken verzonden worden.

HOOFDSTUK VIII

De nacht werd opgelicht door kleine explosies van vuur. Vuur dat in de hemel opvlamde en uitdoofde totdat een enorme vuurvlam aan de hemel verscheen. Een grote, vurige tong, die steeds dichter bij kwam.

Miron dook in elkaar. Toch hield hij zijn blik onafgebroken op de vuurvlam gericht, alsof zijn ogen eraan vastgeklonken zaten. Zo mooi, zo verwoestend.

Lager en lager daalde de vuurvlam, tot hij vlak boven Mirons hoofd hing. De hitte verwarmde zijn huid. Miron strekte zijn arm en stak zijn hand in de kolkende vuurtong. De vlam gleed langs zijn hand zonder hem te verwonden.

'Jij bent het,' klonk het in zijn hoofd. Het was geen stem die sprak. Eerder een woeste wind die de woorden door zijn hoofd liet wervelen als blaadjes in een storm.

De vlam omhulde zijn hele lichaam. Miron was het middelpunt. Rode, gele en oranje vlammen cirkelden om hem heen, achtervolgden elkaar, vervlochten met elkaar. Tot de vuurvlam uit elkaar spatte in een geluidloze explosie. Kleine vuurtongen schoten alle kanten op, als kronkelende slangen. Toen was de nacht weer donker. Donker en stil.

Miron opende zijn ogen en huiverde. Naast hem lag Lanzo te slapen. De tent was in grijze tinten gehuld, het zou niet lang meer duren voordat het tijd was om op te staan.

Wat een droom! Het was net echt geweest...

Lanzo draaide zich om in zijn slaap. Zachtjes pakte Miron zijn spullen en liep naar buiten, de frisse lucht in. Het kamp was nog in diepe rust. Nadat ze het dode meer hadden verlaten, waren ze nog een tijdlang doorgereden op zoek naar een geschikte overnachtingplek. Uiteindelijk waren ze hier gestopt, in een klein dal omringd door puntige bergtoppen. Vandaag zouden ze naar de Miya trekken, een bergrivier die in het zuiden ontsprong. Miron hoopte dat hij een duik kon nemen, want hij voelde zich vies en plakkerig. Dat kreeg je van vurige dromen.

'Jij bent het.' De woorden vlamden door zijn hoofd.

Ik ben helemaal niks, dacht hij en liep naar het grote vuur, de vreemde woorden achter zich latend.

Het was al bijna donker toen ze hun overnachtingplek bereikten. Denno had hun een spectaculaire plaats beloofd en hij had niet gelogen. Links van hen stroomde de Miya zacht murmelend voorbij. Aan de oever van die kalme rivier zouden ze hun tenten opzetten. Rechts stroomde de Indor, een smalle rivier die woest door zijn bedding golfde. Denno had op de kaart laten zien waarom Miron nog nooit van de Indor had gehoord. De rivier slingerde zich door de bergen heen en verdween ondergronds in het westen.

Het was een lust voor het oog, aan twee kanten stromend water dat glinsterde in de laatste stralen zonlicht. De plek was niet alleen prachtig, Denno had onderweg ook uitgelegd dat deze plaats gemakkelijk te beveiligen was. De rivieren deden de helft van het werk.

Daarom zouden Lanzo en hij vanavond weer wachtlopen. Ieder kreeg één kant toegewezen. Een rechte lijn die ze moesten bewaken, gemakkelijker kon het niet volgens Denno.

Miron zag er als een berg tegenop. Hij wilde die verantwoordelijkheid niet. De mislukking van hun vorige wacht stond pijnlijk in zijn geheugen gegrift, alsof het met een mes in zijn ziel was gekerfd.

Terwijl Lanzo rondslenterde, zette Miron hun tent op. Daarna verzorgde hij de paarden. Rondom het kampvuur zat iedereen al te eten. Miron haalde zijn portie en ging naast Lanzo zitten, die druk in gesprek was met Denno. De veteraan zat vol avontuurlijke verhalen.

Het eten smaakte Miron niet. Het leek alsof er een blok op zijn maag lag. Lanzo porde een elleboog in zijn zij. 'Hmm?'

'Denno vroeg je wat. Waar zit jij met je hoofd?' vroeg Lanzo. Hij wees naar de halfvolle nap. 'Ga je dat nog opeten?'

Voordat Miron met zijn hoofd had geschud, had de hertogszoon de maaltijd al ingepikt.

'Durf je vanavond alleen wacht te lopen? Of heb je liever dat iemand met je meeloopt?' vroeg Denno.

Hij wilde niets liever dan het laatste, maar Lanzo's blik brandde. 'Geen probleem, ik doe die wacht wel alleen,' zei hij zo nonchalant mogelijk.

'Ik neem de noordzijde, dan mag jij de zuidzijde doen,' meldde Lanzo.

'Jullie weten het, ik zit hier bij het kampvuur. Doe geen stomme dingen. Als er iets is, blaas dan meteen op je hoorn,' sprak Denno streng. 'Vergeet niet dat jullie verantwoordelijk zijn voor ons allemaal.'

Fijn dat Denno dat nog even onderstreept, dacht Miron. Hij stond op en pakte de lege nappen om ze schoon te spoelen in de Miya. Daarna was het tijd.

Hij positioneerde zichzelf een eindje van het kamp vandaan en liep in rechte lijnen heen en weer tussen de rivieren. Denno had gelijk, het kamp was door de rivieren eenvoudig te bewaken. Als hij aan de oever van de ene rivier stond, kon hij het water van de andere rivier zien glinsteren in het maanlicht. Langs de oevers groeiden wat bomen, maar de ruimte tussen de rivieren was leeg. Niemand kon zich daar verbergen.

Nadat Miron een paar keer heen en weer had gelopen, ging hij precies in het midden staan. Zo kon hij alles goed in de gaten houden. Het was onzinnig om de hele wacht heen en weer te lopen.

Ineens hoorde hij voetstappen aan de kant van de Indor. Meteen waren al zijn spieren gespannen. Wat moest hij doen? Denno halen? Op zijn hoorn blazen? Of zelf een kijkje nemen?

Misschien verbeeldde hij het zich wel. Of waren het mannen van de hertog. Ze zouden hem uitlachen als hij om niets naar Denno rende. Lanzo zou dat nooit doen. Hij grabbelde zijn moed bij elkaar en liep met de hoorn in zijn hand in de richting van het geluid.

'Au!' riep iemand.

'Wat is er, Eno?' vroeg een ander.

Miron ontspande. Vijanden maakten niet zo veel herrie. Hij rende erheen om te zien of alles in orde was. Aan de oever van de Indor zat een van de mannen van de hertog op de grond zijn enkel te masseren. Een tweede soldaat stond ernaast.

'Alles in orde?' vroeg Miron.

'Jawel,' zei de man die op de grond zat. 'Mijn enkel klapte dubbel, maar het gaat alweer.'

'Zal ik Darak even halen? Dan kan hij naar je enkel kijken,' stelde Miron voor.

'Niets aan de hand. Kijk maar,' zei de soldaat terwijl hij omhoog krabbelde. Hij zette een paar onvaste passen.

'Ga maar terug naar je post, Miron,' zei de andere man op een vriendelijke toon. 'Eno en ik nemen hier een duik, dus als je gespetter hoort, dan zijn wij dat.'

'Een duik? Nu? In het donker in die snelstromende rivier? Het water moet ijskoud zijn!'

Eno grinnikte. 'Daar word je een echte vent van, toch Bor?'

Miron haalde zijn schouders op. 'Jullie liever dan ik,' zei hij en vertrok om zijn wacht voort te zetten.

Miron werd wakker van het geluid van gehaaste voetstappen. Het was al licht in hun tent. Hij rekte zich uit en gaf Lanzo een zet. 'Wakker worden.'

Zware soldatenlaarzen renden voorbij. 'Volgens mij is het al laat,' mompelde hij en graaide zijn spullen bij elkaar.

Lanzo draaide zich kreunend op zijn buik, zijn hoofd verstoppend. Genadeloos gooide Miron de tentflap open. Koude lucht en zonlicht stroomden naar binnen. Hij stapte de kou in en keek om zich heen. De zon kwam net boven een bergtop uit, alsof de berg een pilaar was waar de zon op rustte na haar vermoeiende klim.

Op weg naar de Miya kwam hij langs een tent waar meerdere mannen voor stonden. Uit de tent klonk het misselijkmakende geluid van een man die overgaf.

'Leg ze buiten neer. Zorg dat ze frisse lucht krijgen,' klonk de stem van Darak. Twee soldaten kwamen naar buiten, ze droegen een slaphangende soldaat tussen hen in. Het was Eno. Zijn gezicht was geelgroen, hij kreunde bij iedere beweging en hield zijn buik krampachtig vast. De twee soldaten legden hun maat voorzichtig op de grond. Zodra de zieke lag, draaide hij zich op zijn zij en gaf over.

Miron slikte een zure smaak weg. Hij had nog nooit iemand gezien die er zo belabberd uitzag.

'Draai hem op zijn andere zij. Zorg dat hij niet stikt,' commandeerde Darak die de tent kwam uitgelopen. Zijn gezicht stond zorgelijk. Een van de omstanders kwam schoorvoetend dichter bij en draaide de zieke om.

De soldaten droegen een tweede vracht uit de tent. Het was Bor. Ook hij zag er vreselijk uit. Zijn huidskleur was appelgroen en hij kermde zacht. Zijn hele gezicht zat onder het braaksel en hij stonk naar gal.

Miron deinsde achteruit toen de soldaten de zieke vlak voor hem op de grond legden.

'Haal iets om onder hun hoofden te leggen,' zei Darak. De twee soldaten verdwenen in de tent. 'Wat staan jullie daar? Haal water en doeken. Willen jullie ze in hun eigen vuil laten liggen? Haal dekens en ga water koken. Jij daar,' hij wees naar Miron, 'haal mijn kruidenvoorraad. Ze zitten in een buidel, naast mijn bedrol.'

Miron sprintte weg. De tent van de heelmeester stond altijd naast die van de hertog. Miron griste de buidel van Darak mee en rende terug. Onderweg haalde hij de hertog en Denno in.

'Wat is er aan de hand?' vroeg heer Bauenold.

'Twee mannen zijn vreselijk ziek, heer. Ze spugen alles onder,' antwoordde Miron.

De zieken zaten half rechtop, ondersteund door hun bedrol en hun maten. Terwijl Miron de kruidenbuidel aan Darak overhandigde, vroeg deze aan Eno: 'Hebben jullie gisteren iets anders gegeten dan de rest? Iets anders gedronken?'

De zieke keek verward uit zijn ogen. 'Weet niet,' bracht hij kreunend uit.

'Probeer je te concentreren. Waar ben je zo ziek van geworden? Als ik de oorzaak niet weet, kan ik jullie niet helpen.'

De zieke soldaat gaf nogmaals over. Darak schudde zuchtend zijn hoofd waardoor zijn lange, donkere soldatenvlecht heen en weer zwiepte. 'Hebben jullie iets gezien? Enig idee?'

De omstanders mompelden ontkennend.

Miron liep naar Denno en fluisterde: 'Misschien is het niets, maar ik heb deze twee mannen gisteravond tijdens mijn wacht gezien. Ze namen een duik in de Indor.'

'En wat wil je daarmee zeggen?' vroeg Denno.

Miron durfde bijna niet te antwoorden. 'Kunnen ze niet ziek zijn geworden van het water?'

'Natuurlijk, en ik word ziek van de berglucht.'

'Wat kan het anders zijn? We eten allemaal uit dezelfde pot en drinken uit dezelfde voorraad. Alleen deze twee mannen zijn in de Indor geweest en zij zijn ziek.' Hij flapte zijn gedachten er zomaar uit.

'Je haalt je van alles in je hoofd,' zei Denno op een toon die aangaf dat het gesprek afgelopen was.

'Wat heb je te melden, jongen?' Het was Darak. De lange man kwam op hem afgelopen. 'Ik ving een deel van jullie gesprek op. Weet jij waarom ze ziek zijn?'

'Nee, ik weet helemaal niets,' antwoordde Miron zacht.

Darak trok hem aan zijn arm buiten de kring van soldaten. 'Vertel op.'

Miron deelde zijn vermoeden met de heelmeester.

'Het klinkt onwaarschijnlijk, maar ik heb eerder mannen ziek zien worden van bedorven water. Al kan ik me niet voorstellen dat er iets mis is met het water van de Indor. Misschien hebben ze een giftige plant aangeraakt.'

Miron zuchtte opgelucht. Darak verklaarde hem niet voor gek.

'Laat me de plek zien waar ze het water in zijn gegaan.'

Miron nam Darak mee naar de oever van de Indor. Op de plek waar hij de mannen gisteren had gezien, groeiden geen planten. Alleen verdord gras. 'Over die steen struikelde Eno, hij verzwikte zijn enkel,' zei hij terwijl hij wees.

Darak knielde neer bij de steen en bekeek de plek nauwkeurig, maar raakte niets aan. 'Haal de hertog en Denno, we moeten deze plek onderzoeken. Blijf jij bij de zieken. Zorg ervoor dat ze het warm hebben, dat ze kleine slokjes water drinken en dat ze niet stikken.'

Miron rende meteen weg. Wat een verantwoordelijkheid! Onderweg kwam hij Lanzo tegen, die slaapdronken de tent uit waggelde.

'Wat ben jij allemaal aan het doen?' vroeg de hertogszoon.

'Geen tijd,' antwoordde Miron zonder zijn pas in te houden. 'Heer Bauenold, Denno,' riep hij toen hij bij hen in de buurt kwam, 'Darak verzoekt u om naar de oever van de Indor te komen. Ondertussen moet ik voor de zieken zorgen.'

De hertog en Denno vertrokken.

'Haal dekens voor de zieken,' zei Miron terwijl hij een van de soldaten aanwees. Tot zijn verbazing ging de man er onmiddellijk vandoor. 'Jij,' zei hij tegen de soldaat die het dichtst bij hem stond. 'Help me om de mannen wat te laten drinken.'

Miron veegde het zweet van zijn voorhoofd. Met behulp van twee soldaten had hij de zieken een hele beker water laten drinken. De mannen waren ingestopt onder dikke dekens, maar ze rilden alsof ze naakt in de sneeuw lagen. Daarom had Miron ze toch weer naar een tent laten verplaatsen. Iedere zieke in een eigen tent, met de voorflap open voor frisse lucht. Toen de mannen in de tent lagen, had hij ze van hun bovenkleding ontdaan en geprobeerd de zure stank weg te wassen.

Bij iedere zieke had hij een soldaat neergezet met een diepe, houten kom, voor als ze moesten overgeven. Zelf liep hij constant heen en weer tussen de twee tenten om de mannen in de gaten te houden. Er mocht niets met hen gebeuren.

Gebukt dook hij de tent in van Eno. 'Hoe gaat het hier?'

De soldaat die hij bij Eno had neergezet, antwoordde: 'Weinig verandering. Hij blijft kokhalzen, maar er komt niets meer uit.'

'Dat vind ik niet gek,' zei Miron. De zieken hadden al zo veel overgegeven, er kon niets meer in hun maag zitten. 'Help me om hem wat water te geven, we moeten ervoor zorgen dat hij niet uitdroogt.' Hij had geen idee hoe hij aan die wijsheid kwam.

De soldaat hield Eno's hoofd omhoog zodat Miron de man kleine slokjes kon laten drinken. De stoere man van gisteravond was veranderd in een zielig hoopje mens. Zijn huid had een akelige grijstint gekregen, zijn donkere haar zat om zijn hoofd geplakt en zijn halfopen ogen staarden in het niets. Hij was zo slap als een pasgeboren baby.

'Nog een slokje, Eno,' moedigde hij de zieke aan. Met een doek veegde hij de gemorste druppels van de kin van de man. 'Goed zo, nog een.'

Beetje bij beetje dronk de zieke. 'Probeer niet te spugen, je lichaam heeft dit water nodig. Probeer wat te slapen. Heb je het warm genoeg?'

Eno reageerde niet. Miron voelde met zijn hand op het voorhoofd van de man. Klam en warm. Hij moest medicijnen hebben. Waar bleef Darak toch?

'Ik ga even naar de andere tent. Red jij het?' vroeg hij aan de soldaat.

De man knikte en Miron vertrok. Kon hij maar iets doen. Maar hij wist niets van kruiden of andere geneesmiddelen.

'Wat ben je allemaal aan het doen, man?' vroeg Lanzo. Hij hing al die tijd al rond de tenten. De soldaten waren aan hun taken gegaan, maar Lanzo drentelde verveeld rond.

'Dat weet je heel goed. Ik heb geen tijd om te praten, ik moet op die mannen letten.'

'Jij?' zei Lanzo schamper.

Waar heeft Lanzo last van? vroeg Miron zich af. Het leek wel alsof de hertogszoon jaloers was. Miron had geen tijd om zich daar druk om te maken. Snel dook hij de tent van Bor in. 'Niets veranderd?' vroeg hij aan de soldaat die naast de zieke zat.

De man schudde zijn hoofd.

Terwijl hij bezig was Bor te laten drinken, kwam Darak de tent binnen. 'Hoe gaat het? De mannen liggen er netjes bij. Een goede beslissing om ze binnen te leggen.'

Miron bloosde. 'Ik heb ze laten drinken, maar ik maak me zorgen. Ze blijven overgeven, al komt er niets meer uit. Is er niets wat hun maag tot bedaren kan brengen? Al konden ze maar rusten, ze zijn aan het eind van hun krachten.'

'Je hebt er kijk op, jongen. Loop met me mee, dan zal ik je laten zien welke kruiden je kunt gebruiken om een maag tot rust te brengen.'

Miron sloeg zijn ogen neer bij de lovende woorden van Darak.

Bor werd aan de zorgen van de soldaat overgelaten en Miron liep met Darak mee naar het grote vuur. 'Je had gelijk,' zei Darak. 'Er is iets mis met het water van de Indor. Denno is een aantal tonnen aan het vullen zodat we onderzoek kunnen doen.'

Miron was niet blij dat hij gelijk kreeg. Wat was er toch aan de hand? Ajala had gelijk gehad: het water was gevaarlijk. Wat als Lanzo in de Indor had gezwommen? Of als ze hun kamp aan die oever hadden opgeslagen? Dan waren ze nu allemaal doodziek.

Darak pakte zijn kruidenbundel en rolde die uit. Tientallen pakketjes, sommige in doeken gewikkeld, sommige in leer, werden zichtbaar. Op alle pakketjes stond een klein teken. Darak koos drie pakketjes uit, haalde het omhulsel eraf en liet de kruiden aan Miron zien. 'Dit is muravekruid, dit is de schors van een beemsulboom en dit is het bloemblad van de grijze gondarkelk. Meng een deel kruid, twee delen schors en drie delen bloemblad in kokend water en laat dat een tijdje trekken.' Terwijl hij sprak, deed hij de ingrediënten in een koperen ketel, vulde die half met water en hing de ketel boven het vuur.

'Maakt het uit hoeveel water je erbij doet?' vroeg Miron.

'Dat maakt zeker uit. Ik maak nu voldoende voor twee grote bekers. Zorg jij ervoor dat de mannen het medicijn krijgen? Ik ga bij Denno kijken. De mannen zijn bij jou in goede handen. Je hebt goed werk verricht, knaap.'

Zo veel complimenten had Miron nog nooit gehad. Hij gloeide alsof hij koorts had. 'Daar zal ik voor zorgen. Wanneer is het medicijn klaar?'

'Als de grijze kleur uit de bloembladeren is verdwenen, zitten alle werkzame stoffen in het water. De restanten gooi je weg.' Darak draaide zich om en liep weg.

'Kan ik verder nog iets doen om de mannen te helpen?' vroeg Miron.

Darak liep verder zonder om te kijken en antwoordde: 'Eerst moeten we weten wat er precies aan de hand is. Houd ze goed in de gaten.'

Ik heb opdracht om met koningin Godilla te spreken,' zei hij tegen de kasteelwacht. Zonder argwaan liet de man hem passeren. Zijn geliefde was opgesloten in een benauwde kamer waar alleen een bed stond en een dekenkist. Er was geen raam, geen haard, geen enkele vorm van luxe.

'Mijn lief,' zei hij en knielde neer aan haar bed. Hij pakte haar hand en drukte er een kus op. Zijn ogen streelden haar lichaam. Ze was zo mooi, haar blauwe ogen zo intens, haar huid zo zacht, haar haren zo glanzend. Zelfs met haar dikke buik, haar gezwolen enkels en haar opgeblazen gezicht was ze de mooiste vrouw van het koninkrijk.

'Het is voorbij,' zei ze. 'Na de bevalling zal Adelhart mij doden.'

'Nee!' schreeuwde hij veel te hard. 'Ik laat je niet sterven. Ik neem je mee, weg van dit kasteel, dit leven, dit land.'

'Ik kan nergens heen,' zei ze terwijl ze haar hoofd schudde. Het zal niet lang meer duren voordat mijn kind geboren wordt. Daarna is het te laat.'

'Nee! Ik geef mezelf aan. Ik wil niet leven zonder jou.'

Ze nam zijn hoofd in haar handen. 'Daar hebben we al over gesproken. Dat is niet wat ik wil. Ze zullen jou executeren en ik zal als een gevangene van Adelhart leven. Of verbannen worden. Nee, mijn lief, zo wens ik niet te leven.'

Met vochtige ogen keek hij haar aan. Hij nam ieder detail van haar in zich op. Haar fraai gewelfde mond, de lijntjes naast haar ogen, de moedervlek in haar hals.

Ik zal wraak nemen, beloofde hij haar in stilte. Ik zal Adelharts leven verwoesten, zijn dynastie, alles waar hij voor staat. Ik vervloek zijn hele bloedlijn in naam van de Deemster Vorst.

Daar, op zijn knieën aan het bed van zijn geliefde, had hij gezworen dat Adelhart zou boeten voor alles wat hij hun had aangedaan. Het was bijna zover dat hij zijn belofte aan haar kon inlossen. Zijn lieve, mooie Godilla.

HOOFDSTUK IX

De wind ruiste door de bladeren van de bomen en speelde met haar haren. Heerlijk, een beetje afkoeling, dacht Ajala. Kwam haar onrust door die rare Droom waarvan de beelden in haar geheugen waren gebrand? Als ze terug was in het kasteel, zou ze het aan Odmund voorleggen. Nu moest ze zich concentreren.

'De Botten komen vanzelf op je pad,' had Odmund gezegd. Ze hoefde hen alleen met haar innerlijke stem te roepen. Haar innerlijke stem schreeuwde het uit: 'Botten, hier ben ik! Kom naar me toe!' Tot nu toe had ze geen enkel Bot gevonden. Ze liep al de hele ochtend door het bos haar neus achterna, op goed geluk paden betredend en paden verlatend. Voor niets.

Was ze te ongeduldig? Wilde ze te snel? Of hadden de Botten besloten dat ze er toch nog niet klaar voor was? Ajala weigerde terug te keren naar het kasteel zonder een enkel Bot. Wat zou Odmund dan denken? Hij had zo veel vertrouwen in haar. Alle beslissingen en duidingen liet hij aan haar over. Hij had zijn Botten niet meer aangeraakt. Keer op keer herhaalde hij dat zij nu de hofduider was. Als ze met koning Adelhart of Reinold sprak, gedroeg ze zich zoals ze dacht dat verwacht werd van een volwassen, ervaren adviseur. Maar als ze bij Odmund was, wilde ze niets liever weer zijn leerling zijn en alles aan hem overlaten.

Ze schudde wild haar hoofd en hoopte dat haar twijfels als blaadjes in de herfst van haar af zouden dwarrelen. Concentreer je, sprak ze zichzelf toe. Je hebt meer te doen.

Ze haalde het witte, fluwelen zakje tevoorschijn dat ze zelf gemaakt had. Haar eerste en enige Bot zat er veilig in opgeborgen.

'Help me, Koningsbot. Help me de andere Botten te vinden,' fluisterde ze.

Het leek alsof het Bot in haar hand trilde. Zacht hoorde ze Botten rammelen. Ze zongen naar elkaar!

'Waar zijn jullie?' zong Ajala in hetzelfde ritme mee. De wereld veranderde in één groot lied. Takjes kraakten ritmisch, de wind floot een melodie en haar voeten gaven het tempo aan. Zelfs haar hart leek te zingen. Dansend liep ze verder, meegevoerd door het lied van de Botten.

Het bloed klopte in haar oren als een trommel. Sneller en sneller. Ze huppelde door het bos. Tot het ineens doodstil was. Zelfs de wind ruiste niet. Ajala hield haar adem in. Daar! Half bedekt onder een hoopje bladeren stak iets wits uit. Haar vingers beefden toen ze de bladeren wegveegde. Drie Botten naast elkaar. En wat voor Botten! Het cirkelvormige Bot van Mirmana, het Bot van de hoop en Girana, dat voor groei stond.

'Dank u wel. Goede Mirmana, dank u wel.' Ze streelde de Botten. Ze voelden zo glad, zo zacht, zo vertrouwd. Voorzichtig pakte ze ze op. 'Willen jullie met mij mee?' De Botten rammelden. Op het moment dat de Botten in de witte zak zaten, begon het lied opnieuw. Geleid door het ritme danste Ajala verder door het bos.

'Uiteindelijk vond ik Onsch, toen wist ik dat ik moest stoppen voor vandaag. Ik heb al vijftien Botten!' Nadat ze Onsch had gevonden, was ze naar het kasteel gevlogen om haar schatten aan Odmund te laten zien.

'Ongekend. Ik heb er manen over gedaan om al mijn Botten bij elkaar te sprokkelen. Uren en uren heb ik door de bossen gelopen. Soms dagen voor niets. En jij vindt op één ochtend veertien Botten.' Odmund schudde lachend zijn hoofd. Hij zag er goed uit vandaag. Er leek weer een beetje kleur op zijn wangen te zitten. Of verbeeldde ze zich dat?

‘Ik had geluk,’ zei ze. ‘In dat verlaten nest zaten wel acht Botten. Ik kan het nog steeds niet geloven.’ Met haar hand omklemde ze de fluwelen zak. Ze voelde haar Botten door de stof heen. Ze waren er echt! En ze waren van haar!

‘Dat heeft niets met geluk te maken. De Botten lagen op je te wachten, kindje. Ik ben trots op je.’

Ajala’s wangen gloeiden. ‘Dank je wel, Odmund.’ Ze had de neiging om haar armen om hem heen te slaan.

‘Ik had vannacht toch zo’n rare Droom,’ zei ze.

‘Vertel,’ zei Odmund en hij boog zich verwachtingsvol naar haar toe.

Gedetailleerd beschreef ze wat ze gezien had. Dat ze omringd werd door een vuurvlam, dat ze er een deel van was. Hoe de vlammen zich naar alle kanten uitstrekten en het donker om haar heen verlichtten. ‘Het vreemde was dat ik niet verbrandde, ik was één met de vuurvlam.’

‘Tja…’ mompelde Odmund. Het was zijn gebruikelijke manier om haar aan te moedigen te vertellen wat haar dwars zat.

‘Ik weet niet wat ik ermee aanmoet. Wat wil deze Droom mij zeggen? Op welke manier houdt hij verband met de dreiging voor de koning? De Botten hebben gesproken over een teken van vuur. Nu krijg ik dat teken en weet ik niet wat het inhoudt. Ik had gedacht dat het teken me naar de beslissende factor zou leiden, naar de persoon die we moeten vinden. In de Droom was ik dat, dus dat kan de verklaring niet zijn. Ik vraag me af of ik de Botten de vorige keer wel goed gelezen heb.’ Sinds de Droom had de vuurvlam haar achtervolgd in haar gedachten. De wereld ging op in vlammen. Was dat wat de Droom wilde zeggen? Dat alles op het spel stond? Ze had nog maar zestien dagen om de beslissende factor te vinden en ze had geen idee waar ze moest zoeken. De Voorspellers zwegen. Het was om gek van te worden.

‘Dus die vuurvlam kwam vanuit de hemel naar beneden?’ vroeg Odmund.

Ze knikte.

‘Kom vanavond naar mijn privévertrek.’

Ajala trok haar wenkbrauwen op. Odmund reageerde er niet op. Wat ze ook zou vragen, ze zou nu geen antwoord krijgen, daar kende ze hem te goed voor. ‘Als je me niets meer wilt vertellen, ga ik Pendelen naar de locatie van de gemaskerde man.’

‘Wat denk je dat ik al die jaren heb gedaan? Je vindt hem nooit, hij is onzichtbaar voor de Voorspellers. De Deemster Vorst beschermt hem.’

Toch ging ze het proberen.

Ajala gaapte terwijl ze door de gangen van het kasteel liep. Na het dagelijkse gesprek met Reinold en koning Adelhart kon ze eindelijk naar Odmund toe. Ze hoopte dat hij nog niet sliep.

Terwijl ze langs de troonzaal liep, ving ze een glimp op van een gedaante. Ze vertraagde haar pas en gluurde langs de openstaande deur naar binnen. Wulfar stond voor het portret van koningin Godilla. Hij mompelde in zichzelf. ‘... toestanden... koninkrijk... Deemster Vorst...’

Ajala verkilde. Had Wulfar het over de Deemster Vorst? Tegen de koningin? Keek hij verlangend naar het portret of verbeeldde ze zich dat?

Hij draaide zich om en ze dook weg. Had hij haar gezien? Met ingehouden adem sloop ze bij hem vandaan. Ze hoorde geen voetstappen.

Terwijl ze zich haastte naar de vertrekken van Odmund, spookten de vragen door haar hoofd. Was Wulfar de minnaar van de koningin? Zou hij vijftien jaar op wraak wachten? Ze wist zeker dat hij de koning al honderden keren had kunnen vermoorden. Maar toch... ze had gezien wat ze had gezien. Waarom vertelden de Voorspellers niet wie de gemaskerde man was? Het was zo frustrerend! Morgen zou ze nog een poging doen. Hij moest ontmaskerd worden.

Voor de deur van Odmunds vertrekken twijfelde ze. Moest ze het hem vertellen? Nee, ze mocht niemand beschuldigen zonder bewijzen.

Zacht klopte ze op de deur.

'Ben je daar eindelijk?'

Ze nam aan dat het een uitnodiging was en ging naar binnen.

'Laat een oude man maar wachten,' zei Odmund en zijn ogen glinsterden vrolijk. 'Kom.' Hij wenkte haar naar het raam.

'Je weet wat dit is, hè?' Hij wees naar zijn lenzenkijker. Een uitvinding die hij een paar jaar geleden had gedaan. Door verschillende geslepen glaasjes achter elkaar in een buis te plaatsen, kon Odmund de verre omgeving dichtbij halen. Hij gebruikte het apparaat om de nachtelijke hemel te bestuderen. Volgens hem waren de sterren één grote Voorspeller. Hij wist alleen nog niet hoe het werkte. Soms zette hij het apparaat in zijn werkkamer en bestudeerde hij de hele nacht de hemel. Ajala had hem regelmatig in slaap aangetroffen tussen grote vellen papier vol aantekeningen.

'Kijk,' nodigde Odmund haar uit. Ze plaatste haar rechteroog voor de opening van de buis en kneep haar linkeroog dicht. De buis was hoog naar de hemel gericht.

De sterren straalden helder. Tussen alle kleine, gele lichtpuntjes viel een langwerpige vorm op. Een bol met een nevelige staart. 'Wat is dat?'

'Dat is wat ik je wilde laten zien.'

Geboeid keek ze naar de vreemde vorm. Wat kon dat zijn?

'Je kijkt naar een vuurvlam,' zei Odmund.

Ajala draaide zich naar hem om.

'Vijftien jaar geleden, in de nacht dat prinses Amitha werd geboren en de koningin het leven liet, stond er ook een vuurvlam aan de hemel. Precies zoals jij in je Droom gezien hebt, zo lichtte de hemel op. De Voorspeller van grootse gebeurtenissen.'

Had de hemel daadwerkelijk in brand gestaan, zoals zij had Gedroomd?

'Die vlam die nu nog ver weg is, komt snel dichter bij. Eerst was hij niet zichtbaar met mijn lenzenkijker, over een paar dagen zul je hem met het blote oog kunnen zien. Ik verwacht dat hij over zestien dagen de nachtelijke hemel zal verlichten. Net als vijftien jaar geleden. Alles komt samen.'

'Weet je dat zeker?' vroeg Ajala met een piepstem. Was dit het werk van de gemaskerde man? Of van de Deemster Vorst? Hoe kon zij hem ooit stoppen als hij de macht had om de sterren te bevelen?

Odmund keek haar aan alsof ze gevraagd had of Botten konden voorspellen. 'Natuurlijk weet ik het zeker.'

'Kan die vuurvlam neerdalen uit de hemel? Zoals in mijn Droom? Zal hij alles en iedereen vernietigen?'

'Ik weet niet wat er staat te gebeuren. Volgens mij heeft de koning jou daarvoor ingehuurd.'

Ajala snapte niet hoe Odmund nu nog grapjes kon maken. Alles was verloren.

'Niet zo sip kijken, kindje,' zei Odmund. 'We krijgen de tekens niet voor niets. Er is nog hoop.'

Verward schudde Ajala haar hoofd. 'Die vuurvlam komt, wat we ook doen. Die kunnen we niet tegenhouden.'

'Waarschijnlijk. Maar wie zegt dat het geen teken van hoop is? Licht in de donkere nacht. Al wat jij hoeft te doen, is uitzoeken hoe we het onheil kunnen afwenden.'

Ajala zakte bijna door haar knieën. Het ging niet meer alleen om een dreiging voor de koninklijke bloedlijn. Alle mensen die ze kende, alle mannen, vrouwen en kinderen van het koninkrijk zouden sterven als zij niet met een oplossing kwam. Het voelde of ze het gewicht van de wereld op haar schouders droeg.

Doodmoe strompelde ze door Odmunds werkkamer. Ze had de hele nacht niet geslapen. Schrikbeelden over het einde van de wereld hadden haar wakker gehouden. Ze moest iets doen, ze moest de wereld redden. Maar hoe? En waarom zij? Waarom deed Odmund niets? Zo ziek had hij gisteren niet geleken.

Kon ze dit vreselijke nieuws vanavond aan de koning vertellen zonder hem een oplossing te bieden? Er was alweer een dag voorbij, nog maar vijftien dagen tot de donkere maan. Ze moest antwoorden hebben. Nu.

Ze had alles al geprobeerd om erachter te komen wie de gemaskerde man was. Het was hopeloos. Daarom richtte ze zich nu op de oplossing. Hoe konden ze het onheil afwenden? Wat moest er gebeuren?

Ergens in de werkkamer stond nog een kan met water. Ajala plensde het water in haar gezicht. Ze moest helder en wakker zijn als ze de Botten ging werpen.

Druipend van het water liep ze naar de kast en pakte Odmunds Botten. De Botten rammelden niet. Doods zaten ze in hun zak. Wat was dat toch? Konden Botten jaloers zijn? Ze moest het er met Odmund over hebben. Straks, na de duiding.

'Botten, help mij. Ik moet weten hoe we deze ramp kunnen voorkomen.'

Voorzichtig schudde ze de zak. De Botten rammelden vrijwel onhoorbaar, maar ze zongen zacht hun lied. Ajala slaakte een zucht van verlichting.

Ze sloot haar ogen en concentreerde zich op haar vraag tot alle andere gedachten verdwenen. Toen wierp ze de Botten.

Kletterend vielen de meeste Botten op de grond. Slechts vier lagen er op de legdoek. Het kleine en grote Andysbot lagen weer naast elkaar. Daaronder lag Ankasch, de dood. De persoon waar het om draaide, moest sterven. Het antwoord van de Botten was kort maar krachtig. In het kwartier van de beslissende factoren lag het cirkelvormige Mirmanabot. Het lag voor het grootste gedeelte buiten de legdoek, alsof de maan er juist niet bij hoorde. Voor Ajala was de boodschap duidelijk. De persoon moest sterven voordat het donkere maan was.

Ze schudde met haar hoofd om uit de trance te raken. De vertrouwde werkkamer van Odmund kwam terug. Verbijsterd staarde ze naar de Botten. Was het echt zo simpel? Kon de ramp voorkomen worden door één persoon te doden? Die persoon moest dan alleen gevonden worden voor de donkere maan...

Het was zo gemakkelijk en zo onmogelijk tegelijk. In ieder geval was er een oplossing.

'Dank jullie wel, Botten.' Ze streelde de Botten die op tafel lagen voordat ze ze opborg. Toen ze de Botten netjes had opgeruimd, rende ze naar Odmunds privévertrek om hem alles te vertellen.

Er kwam geen reactie op haar geklop. Zou hij nog slapen? Het was gisteren erg laat geworden. Ze klopte nog een keer op de deur. Niets. Een zwaar gevoel nestelde zich in haar maag. Ze bonkte met haar vuist op de deur. 'Odmund?'

Nog steeds geen antwoord. Ze opende de deur en stapte de kamer binnen. Snel liep ze naar achteren, naar de deur van zijn slaapvertrek. Die stond op een kier. Ze duwde de deur wat verder open en stak haar hoofd door de opening. 'Odmund?'

Hij lag in bed, zijn ogen gesloten, zijn linkerarm naast het bed hangend, de dekens in een warboel.

'Odmund, word eens wakker. Het is al middag.' Ajala liep naar het bed en pakte de bungelende arm. Van schrik liet ze hem weer vallen. Zijn huid gloeide. Met haar hand voelde ze aan zijn voorhoofd. Hij was bloedheet.

'Odmund, word wakker!' Ze trok de dekens van hem af en schudde hem heen en weer aan zijn knokige schouders. 'Word wakker, kom op!' riep ze.

Hij kreunde, maar zijn ogen bleven dicht.

'Help!' gilde Ajala. 'Help!' Het duurde even voor ze zich realiseerde dat niemand haar zou horen.

'Houd vol, Odmund,' zei ze terwijl ze de dekens weer over hem heen sloeg. Als een wervelwind stoof ze de trap af. Beneden in de gang was niemand.

'Help!' schreeuwde ze weer. 'Ik heb hulp nodig.' Ze rende in de richting van het hoofdgebouw. 'Help!'

Eindelijk kwam iemand op haar geroep af. Een bediende. 'Snel, help me. Odmund is ziek. Haal een kruidenvrouw. Schiet op.'

De vrouw legde de stapel doeken die ze vasthield op de grond en rende weg. Een andere bediende kwam net om de hoek. 'Jij daar,' riep Ajala. 'Kom met me mee. Nu.'

Ze draaide zich om en rende terug naar de toren.

'Ajala.'

Ze schrok wakker van Reinolds stem. Ze zat onderuitgezakt op een stoel in het kleine, donkere slaapvertrek van Odmund. Haar leermeester had nog steeds zijn ogen dicht. De kruidenvrouw had gezegd dat het niet goed met hem ging, dat ze niet wist of hij nog wakker zou worden. Ze had zijn lichaam gekoeld met natte doeken en met veel moeite hadden ze Odmund wat druppels kruidenolie toegediend. Meer konden ze niet voor hem doen.

De kruidenvrouw had gezegd dat er altijd iemand bij hem in de buurt moest blijven. Daarom was Ajala naast zijn bed gaan zitten. Ze zou hem niet alleen laten.

'Ajala,' zei Reinold weer.

Ze keek op. Hij stond in de deuropening. 'Ik snap dat je bij Odmund wilt blijven zitten, maar we hebben overleg met de koning.'

Was het al zo laat? 'Reinold, ik kan hem toch niet alleen laten? Wat als hij wakker wordt. Of erger...'

'Ik heb zojuist met de kruidenvrouw gesproken. Odmund kan nog dagen in deze toestand blijven. Je kunt hier niet al die tijd blijven zitten en nietsdoen. Dus je gaat met mij mee. Dat zou Odmund ook willen. Hij heeft er niets aan als jij hier naast zijn bed blijft zitten.'

Het gerimpelde hoofd van Nitard verscheen naast de schouder van Reinold. Wat moest de lakei van de koning hier?

'In naam van de koning zal ik zolang bij Odmund waken,' zei hij. Zijn stem klonk zacht en zalvend, zoals hij gewoonlijk sprak, maar zij wist dat dat schijn was. Nitard had niets bij Odmund te zoeken. Niemand anders dan zij hoorde bij hem te waken en hij al helemaal niet. Ze wilde zich vastklampen aan zijn bed. Maar ze had geen keus. Ze stond op, rekte haar pijnlijke spieren en legde even haar hand op het voorhoofd van de zieke. Hij gloeide nog steeds. 'Ik ben zo terug. Rust goed uit,' fluisterde ze.

Met pijn in haar hart keerde ze Odmund haar rug toe terwijl Nitard langs haar heen gleed om haar plek op de stoel in te nemen. De gladde aal! Ajala vertrouwde hem nog steeds niet. Als er ook maar iets met Odmund zou gebeuren...

'Ik wil dat jij ook bij zijn bed waakt,' zei ze tegen de kruidenvrouw die in het voorvertrek wachtte. 'Blijf bij hem tot ik terug ben.'

Reinold trok zijn wenkbrauwen op, maar zei niets. Toen de kruidenvrouw naar het slaapvertrek liep, durfde Ajala de vertrekken van Odmund pas te verlaten.

'Hier,' zei Reinold terwijl hij haar een bord overhandigde. 'Eet onderweg een paar happen.'

De geur van gebraden vlees deed haar watertanden. Nu merkte ze pas dat haar maag rammelde. Ze glimlachte naar Reinold en nam een grote hap van het dikke, versgebakken brood. Er lag een pittig gekruid stuk varkensvlees bovenop. Haar lievelingsvlees. 'Dank je wel,' zei ze met volle mond.

Haar veel te haastig gegeten maaltijd lag zwaar op de maag toen ze bij koning Adelhart aankwamen. Zoals altijd zaten ze in de kleine overlegruimte, waar een prachtig bureau stond en drie geriefelijke, pluchen zetels. Ajala voelde zich net een koningin in zo'n luxe troon. Ze vertelde wat ze van Odmund te weten was gekomen en wat de Botten onthuld hadden.

'Dus je wilt zeggen dat wij die jonge persoon moeten opsporen en doden voor de komende donkere maan, anders komt de vuurvlam naar beneden en verzwelgt ons allen?' vatte koning Adelhart samen. Grote, donkere kringen onder zijn ogen tekenden zijn gezicht.

'Dat is inderdaad hoe het ervoor staat.'

'En die jonge persoon?' vroeg de koning. 'Waarom moet hij sterven? Is hij zo kwaadaardig? Heeft hij zo veel macht?'

Ajala haalde haar schouders op. Zo veel vragen en zo weinig antwoorden.

'Hoe vinden wij die persoon, Ajala? We tasten volledig in het duister. We hebben meer gegevens nodig,' zei de koning.

Dat wist ze zelf ook wel. Onbedoeld herinnerde koning Adelhart haar eraan dat ze de hele middag aan het bed van Odmund had gezeten terwijl ze alles in het werk zou moeten stellen om die persoon te vinden. Ze was een waardeloze hofduider. De wereld zou in vlammen opgaan en zij maakte zich druk om één persoon. Als ze haar verantwoordelijkheid niet nam, zou Odmund ook verzwolgen worden door de vuurvlam. En zijzelf niet te vergeten. 'Morgen zal ik mijn uiterste best doen om meer te weten te komen,' beloofde ze.

Vijftien jaar lang leken de dagen een eeuwigheid te duren. Eenzaam zonder zijn geliefde, verteerd door zijn woede. Nu zijn wraak dichtbij was, ontwaakte hij uit die halfdode toestand. Het bloed stroomde wild door zijn aderen, kolkend als een rivier.

Verlangend keek hij uit naar de dood van Adelhart en prins Willeman. Amitha zou regeren. Samen zouden ze dit koninkrijk besturen, hij als haar adviseur die alle touwtjes in handen had. Ze was nog jong genoeg om gevormd te worden.

De Deemster Vorst zou hen in het lichaam van de jongen bijstaan. Dat niet Amihta maar de jongen degene was waarin de Deemster Vorst zou terugkeren, wist hij pas een jaar. Hij had twee kruidenvrouwen met elkaar horen praten, die herinneringen ophaalden. Toen hij het woord *vuurvlam* hoorde, had hij zijn oren gespitst.

'Dat waren nog eens tijden,' had een van de oude besjes gezegd. 'Twee kinderen in dezelfde nacht geboren op het kasteel. Met de vuurvlam als teken aan de hemel. Als die kinderen niet voor elkaar bestemd zijn, dan weet ik het niet meer.'

'Daar is anders nog niets van te merken. Prinses Amitha kijkt niet op of om als hij in de buurt is. Maar ach, het zijn nog kinderen,' vond het andere vrouwtje.

Even leek het alsof zijn wereld instortte. De zinnen die hij gesproken had tijdens het ritueel maalden door zijn hoofd. 'Ik bied u het kind aan dat vannacht geboren is. Dat kind zal uw lichaam zijn bij uw terugkeer.' Nu bleek dat er twee kinderen geboren waren! Het kostte hem een week om uit te zoeken hoe het zat. Toen was duidelijk dat niet Amitha, maar de jongen de zetel zou worden van waaruit de Deemster Vorst zou regeren. Nu was hij daar blij mee, maar op dat moment had hij zich geen raad geweten.

Hij schudde de gedachten van zich af. Het had geen zin om stil te blijven staan bij de fouten die hij in het verleden had gemaakt. Hij liep naar de vertrekken van Amitha. Daar bleek dat zijn kleine meisje alweer aardig was opgeknapt. Ze deelde vanuit haar bed bevelen uit, zoals het een toekomstig koningin betaamde.

HOOFDSTUK X

De hertog had besloten de zoektocht naar de vijand voorlopig te staken, in ieder geval zolang het onderzoeken van het water duurde. De meeste soldaten genoten aan de oever van de Miya van het dagje rust dat hun zieke kameraden hen bezorgd hadden. Miron had geen rust in zijn lijf. Hij liep koortsachtig heen en weer tussen de tent van Eno en die van Bor. Sinds de mannen het kruidenwater gedronken hadden, gaven ze niet meer over. Ze sliepen diep en rustig. Te rustig naar Mirons zin.

Hij knielde naast Bor en legde zijn hand op het voorhoofd van de zieke. Was het verbeelding of voelde Bor warmer aan? De man lag op zijn zij, warm ingepakt onder twee dikke dekens. Miron trok de dekens weg.

De borst van de zieke bewoog nauwelijks zichtbaar. Zijn handen! Miron hapte naar lucht. De vingers van Bor waren donkergrijs. Afstervingsverschijnselen. 'Snel, haal Darak!'

De soldaat die in de hoek van de tent de wacht hield, trok zijn wenkbrauwen op.

'Schiet op, er is geen moment te verliezen!'

De soldaat ging ervandoor en Miron trok de dekens helemaal weg. Ook Bors tenen waren donker gekleurd. Miron haalde zijn handen door zijn haar. Moest hij de ledematen masseren? Of zou dat het alleen maar erger maken? Moest hij Bor wakker maken? Waar bleef Darak in Mirmana's naam?

Hij gooide de dekens terug over de zieke en rende naar de tent van Eno. Daar rukte hij de dekens van de slapende man. Eno's vingers zagen grijs.

Oh, Mirmana! Waarom heb ik dat niet eerder gezien?

Hij legde de dekens terug en vertrok naar Bor. Daar ijsbeerde hij naast de zieke tot hij gehaaste voetstappen hoorde.

Nog voordat Darak binnen was, lichtte Miron hem in. Ondertussen trok hij de dekens weg zodat de heelmeester kon zien wat hij bedoelde.

'Gezegende Mirmana,' riep Darak uit. Terwijl hij Bor onderzocht, schudde hij zijn hoofd. 'Bij Eno dezelfde verschijnselen?'

Miron knikte.

Darak stond op en keek hem recht in zijn ogen. Zijn blik was hard. 'Weet je wat dit betekent?'

Een onzichtbare hand kneep Mirons keel dicht. Zouden deze mannen sterven omdat hij niet goed had opgelet?

'Ze zijn vergiftigd.'

Mirons mond viel open. 'Mirmana help ons. Wat kunnen we doen?'

Darak haalde zijn schouders op. 'Zolang we niet weten welk gif er gebruikt is, kan ik niets doen.'

'U kunt ze toch wel iets geven? We moeten toch iets kunnen doen!'

'Ieder gif vraagt om een specifiek tegengif. Ik kan de mannen niet lukraak iets toedienen. Wat in het ene geval een medicijn is, kan in het andere geval de situatie verergeren.'

'U kunt het toch niet zomaar opgeven? Kunt u hun voeten en armen niet afbinden of er afhakken, als het moet?'

'Jongen toch,' zei Darak op een toon alsof hij tegen een dom kind sprak. 'Alle ledematen amputeren? Wat hebben deze mannen dan nog voor leven? Als ze de ingreep al overleven. En dan nog, wie zegt dat het gif al niet door het hele lichaam verspreid is? Nee...'

'Dus u laat ze doodgaan?'

Darak legde zijn hand op Mirons schouder. 'De eerste les die ik leerde van de soldatenheelmeester die mij opleidde, was dat je niet iedereen kunt redden. Je doet wat je kunt en soms is dat niet genoeg. Dat moet je accepteren. We kunnen het die mannen alleen zo comfortabel mogelijk maken. Misschien vindt hun lichaam een manier om het gif te overwinnen.'

'Dus ze gaan dood?' vroeg Miron schor. Darak antwoordde niet, maar zijn verslagen blik zei genoeg.

De stilte was zenuwslopend. Miron had Eno naar de tent van Bor laten brengen. Omdat ze toch niets konden doen voor de zieken, had hij de soldaten weggestuurd. In zijn eentje waakte hij al een dag en een nacht bij de twee stervende mannen terwijl Darak proeven deed met het water. Als ze er nog achter zouden komen wat voor gif er gebruikt was, hadden Bor en Eno nog een kans.

Af en toe trok Miron de dekens van de mannen af. De donkere kleur kroop steeds verder omhoog. Het gif had bij Eno de ellebogen en knieën al bereikt. Miron vreesde dat het niet lang meer zou duren. De man lag er zo bewegingloos bij, alsof het leven al gevlucht was voor het gif.

Zou je het voelen, doodgaan? vroeg hij zich af. Hij rilde. Straks zat hij alleen in een tent met twee dode mannen. Ondanks zijn afgrijzen wilde hij niet weg. Als hij dood zou gaan, hoopte hij dat er ook iemand naast hem zou zitten.

De tijd leek eindeloos te duren. Steeds verder kroop het gif omhoog, het had inmiddels de schouders en liezen van Eno bereikt. De man haalde onrustig adem terwijl hij doodstil lag. Alleen zijn ogen bewogen onder zijn gesloten oogleden.

Miron wendde zijn blik af. Darak moest komen, ze konden Eno toch niet zo laten lijden?

'Is daar iemand?' Nadat hij een derde keer geroepen had, stak een hoofd onder de voorhang door. 'Haal Darak!' De soldaat verdween direct.

Eno kreunde zacht. Miron wreef de plakkerige haren van het voorhoofd van de soldaat. 'Je bent niet alleen,' zei hij. Het komt goed, wilde hij zeggen, maar hij wist dat dat een leugen was.

Darak, de hertog en Denno kwamen de tent in. Het was meteen zo vol en benauwd dat Miron geen lucht meer kreeg. Darak wierp één blik op Eno en zei: 'Je hebt het goed gedaan, jongen. Ga maar.'

Werd hij weggestuurd? De tranen brandden in zijn ogen.

De hertog knielde bij hem neer. 'Darak heeft me verteld hoe goed jij voor deze mannen hebt gezorgd. Op dit moment kun je niets meer voor ze doen.'

'Ik wil bij ze blijven,' zei hij dreinend als een klein kind dat niet bij zijn ouders weg wilde.

'Wij blijven bij ze. Kom even mee naar buiten,' zei Darak.

Miron liet zich overhalen nadat hij een laatste blik op de mannen had geworpen. Buiten zakte de zon al achter de bergtoppen. Darak zei: 'Je hebt mij verrast, jongen. Je hebt het in je om een goede heelmeester te worden. Maar het is nog te vroeg om twee mannen te zien sterven. Je hebt meer dan genoeg gedaan. Kijk eens om je heen. Waar zijn hun makkers? De meeste mannen voelen zich ongemakkelijk bij ziekte en dood. Jij bent er al die tijd voor de zieken geweest en hebt kordaat gehandeld. Het is goed zo. Eet en slaap wat. Dat is een bevel.' Zonder op commentaar te wachten, dook Darak de tent weer in.

Met tranen in zijn ogen rende Miron naar zijn tent. Hij begroef zijn gezicht in zijn bedrol en huilde tot hij geen tranen meer had.

Het was een heldere nacht en de bijna volle maan glinsterde. Mirmana was in al haar pracht aanwezig om de geesten van de gestorven mannen tot zich te nemen.

Iedereen had zich verzameld rond de baar waarop de twee

dode soldaten lagen. Ze lagen er waardig bij, hun wapens naast hen, de giften van de aanwezigen tussen hen in en de wapperende banier met het teken van de hertog aan hun voeten.

De hertog had lovende woorden gesproken over de gestorven mannen. Hij had ze beloofd dat hij niet zou rusten voordat hij wist wie hen vergiftigd had en dat hun dood gewroken zou worden. Iedereen had gejuicht, behalve Miron. Sinds Darak hem had verteld dat de mannen gestorven waren, voelde hij zich leeg. Hij was niet verdrietig of boos, hij voelde helemaal niks.

De hertog kreeg van een van zijn mannen een brandende fakkel. Met licht gebogen hoofd liep de hertog om de baar heen, hem hier en daar aanstekend. Het vuur knetterde en kroop omhoog, net zo min te stoppen als het gif dat de mannen had gedood. De vlammen dansten, werden groter en hoger en omvatten de lichamen van de dode soldaten. De geur van brandend hout en verschroeide lichamen vulde de lucht.

Mirons tranen brandden. Hij wilde niet huilen en veegde zijn natte neus aan zijn mouw af. Waarom moesten Bor en Eno sterven? Had hij iets kunnen doen om ze te redden? Het was tijdens zijn wacht gebeurd, onder zijn verantwoordelijkheid.

Naast hem staarde Lanzo met nietsziende ogen naar het vuur. De soldaten van de hertog stonden kaarsrecht in de houding, de meesten met een verbeten trek op het gezicht. Darak had uit respect zijn soldatenvlecht losgemaakt. Met zijn lange haren los over zijn schouders zag hij er een stuk zachtaardiger uit.

In stilte wachtten ze tot het vuur was uitgebrand. Mirmana, zorg goed voor hen. Het waren dappere mannen, bad Miron.

Toen het vuur was uitgedoofd, vertrokken de mannen naar hun tenten. Miron bleef staan. Kon hij zomaar weglopen? Was het dan echt voorbij?

'Hoe gaat het met je?' Darak kwam naar hem toegelopen.

Miron haalde zijn schouders op.

‘Probeer te slapen. Morgen gaan we weer op pad. Kom tijdens de rit naast me rijden, dan praten we wat.’

Voordat hij kon antwoorden, vroeg Lanzo: ‘En ik?’

‘Volgens mij sprak ik tegen Miron,’ antwoordde Darak.

Lanzo keek beteuterd. ‘Hij is wel *míjn* page, hoor.’

‘Hij heeft de afgelopen dagen laten zien dat hij veel meer kan zijn dan jouw page.’

Met gefronste wenkbrauwen keek Lanzo van Darak naar Miron. ‘Hij?’

Miron sloeg zijn ogen neer. Lanzo had gelijk. Hij had de mannen laten sterven. En als page was hij ook niet geschikt, want hij had al die tijd niet naar Lanzo omgekeken.

‘Je gedraagt je als een jaloers kind,’ zei Darak.

Miron dacht dat Lanzo uiteen zou barsten. Zijn wangen kleurden haast paars. Niemand sprak zo tegen de hertogszoon. Met zijn lippen op elkaar geperst draaide hij zich om en beende met grote passen weg.

‘Trek het je niet aan, die draait wel weer bij,’ zei Darak vriendelijk.

Het was aardedonker en koud. Miron sloeg zijn armen om zich heen en huiverde. Geen sterren of maan die voor een lichtpuntje zorgden. Wat was dat? Een twinkeling in de hemel. Een lichtpunt dat groter en groter werd. Een bal met een nevelige staart. De hemel lichtte rood, geel en oranje op. De nacht stond in brand.

De vuurvlam dook met een oorverdovend geraas naar beneden. Vlak voor Miron raakte hij de grond, verbrandde het gras tot een zwarte moes. Alsof het een levend wezen was, wendde de vuurvlam zijn kop naar Miron en stevende op hem af. Miron draaide zich om en rende alsof de Deemster Vorst hem op de hielen zat. De vuurvlam bulderde achter hem, haalde hem in!

In wilde paniek rende Miron verder, zijn bovenlichaam naar voren gebogen, alsof zijn benen zijn hoofd niet konden bijhouden. Heel even draaide hij zich om. Hij werd verblind door de vuurvlam, struikelde en viel. De vuurvlam verzwolg zijn voeten.

'Au!' Miron greep met zijn hand naar zijn rechterbeen. Het brandde, alsof er een gloeiend heet ijzer tegenaan was geduwd.

'Wat? Wat is er?' vroeg Lanzo slaperig.

De tranen stonden in Mirons ogen. Zijn been deed zo'n pijn. 'Niets,' zei hij met een snik.

'Weet je het zeker?'

'Ik had een nachtmerrie, dat is alles.'

'Ga weer slapen, dan.' De hertogszoon draaide zich om.

Miron wreef met zijn hand over zijn enkel, de pijn vlamde door zijn been. Hij kon toch niet gewond raken in een droom?

'Jij bent het.' De woorden waren een fluistering in de wind.

Laat me met rust! gilde hij in zijn hoofd terwijl hij zijn oren met zijn handen bedekte. Hij wilde niets meer horen, niets meer zien, niets meer voelen.

Het was al licht in de tent toen hij wakker werd. Lanzo gaf hem een duw. 'Het is laat. Schiet op, luiwammes. We gaan eindelijk weer op pad,' zei de hertogszoon waarna hij de tent verliet.

Langzaam losten de nevels van de slaap zich op. Mirons been brandde. Hij gooide de dekens van zich af, ging zitten en trok zijn been naar zich toe.

'Wat?' riep hij uit. Op zijn enkel zat een zwartgeblakerde brandplek in de vorm van een kroon met vier punten. De huid eromheen was vuurrood.

Miron knipperde met zijn ogen. Had Lanzo een flauwe grap met hem uitgehaald? Hij veegde met zijn vingers over zijn enkel, alsof hij de onverklaarbare brandplek kon wegvegen. De huid was ruw en gevoelig. Zijn aanraking bracht gemene steken teweeg.

'Ik word gek,' mompelde hij. Kon je verbranden in een droom? Hij had geen tijd om erover na te denken, hij moest opschieten en zich klaarmaken voor vertrek.

Toen alle mannen op hun paarden zaten, hief de hertog zijn hand. 'Mannen, na gisteren is het doel van onze tocht veranderd. Twee goede soldaten zijn gestorven. Wij zullen ervoor zorgen dat hun dood niet voor niets is geweest.'

De mannen van de hertog knikten en mompelden instemmend.

'Door hun dood weten wij eindelijk wat er aan de hand is: het water is vergiftigd. Ik hoef jullie niet te vertellen hoe ernstig dat is. Het is de vijand gelukt om een snelstromende rivier zodanig te vergiftigen dat alleen al baden erin dodelijk is. Dit kan een ramp zijn voor mijn hertogdom en voor het hele rijk. Deze moordenaars moeten tegengehouden worden.'

Weer klonk er instemmend gemompel, grimmiger nu.

'We hebben nu een spoor dat we kunnen volgen, de Indor. We zullen langs de bedding rijden in de hoop dat die ons naar de schuilplaats van de vijand leidt. Ik hoef jullie niet te waarschuwen voor het water. We kunnen geen enkele waterbron meer vertrouwen. Het water dat we bij ons hebben, gaat op rantsoen. Mannen, we gaan. Laten we onze gestorven kameraden wreken en het koninkrijk behoeden voor een groot gevaar.'

'Ja!' riep Miron net als de rest. Hij was helemaal opgegaan in de woorden van de hertog. Tijdens het rijden vroeg hij zich af wie zoiets zou doen. Waarom vergiftigt iemand een rivier? Was het echt de bedoeling dat onschuldige burgers van het hertogdom Bauenold zouden sterven?

Tegen de middag kwam Darak naast hem rijden. 'Lanzo, je vader wil je spreken.' Lanzo spoorde zijn paard aan en reed bij hen weg. De hertog en Denno reden een eind voor de rest van de groep uit, in druk overleg.

'Hoe gaat het met je, jongen?' vroeg Darak. De heelmeester keek hem onderzoekend aan.

'Het gaat goed, hoor,' antwoordde Miron terwijl hij zijn schouders ophaalde.

'Heb je een beetje kunnen slapen? Het is niet niks, wat er allemaal gebeurd is.'

Moest hij Darak vertellen van de droom en de brandvlek op zijn been? Zou de heelmeester hem geloven? Of zou Darak hem voor gek verklaren? 'Ik heb onrustig geslapen, maar het gaat wel.'

'Goed zo. Luister eens... Je hebt mij positief verrast met je kordate optreden. Ik denk dat er een uitstekende heelmeester in je verscholen zit. Wat denk je ervan om de rest van deze tocht bij mij in de leer te gaan?'

Miron viel bijna van zijn paard. Was hij ergens goed in? Wilde Darak hem onderwijzen? 'Maar...' begon hij, niet wetend wat hij zeggen moest.

'Lanzo heeft hier geen page nodig. Dus er is tijd genoeg voor jou om het een en het ander te leren. Maak je geen zorgen, ik heb het besproken met de hertog en hij is het volledig met mij eens. Hij vindt ook dat je deze kans verdient.'

'Echt waar?' vroeg Miron.

'Iedereen is ergens goed in, je moet er alleen achter zien te komen waarin. Dat jij geen geboren soldaat bent, moge duidelijk zijn.'

Mirons schouders zakten naar beneden.

'Maar ik ben ervan overtuigd dat jij een geboren heelmeester bent. De manier waarop jij de boel aanpakte, met de zieken omging, voor hen zorgde en dat zonder enige ervaring, was verbazingwekkend. Ik wil je graag als mijn leerling hebben.'

De woorden van Darak voelden als een warme deken. Het was allemaal vanzelf gegaan, hij had er niet bij nagedacht. Het was toch normaal dat je voor een ander zorgde als die hulp nodig had?

'Wat zeg je ervan?' vroeg Darak.

Miron lachte breeduit. 'Ik wil niets liever dan uw leerling zijn.'

Een ovaal gezicht dat nog langer leek door het puntbaardje keek hem vanuit de spiegel aan. Over zijn voorhoofd, naast zijn ogen en zijn mondhoeken liepen fijne lijntjes als wegen op een landkaart door elkaar heen. Zijn huid was bleek, hij kwam niet graag buiten in het akelige zonlicht.

Zijn spiegelbeeld glimlachte. Alles verliep voorspoedig. Zijn kleine meisje was weer helemaal de oude. Ze rende door de gangen en bracht haar leermeesters tot wanhoop. Odmund was weggezakt in een slaap waar hij niet meer uit zou komen. Het kwaad dat hij met zijn duistere magie opgeroepen had, woekerde vernietigend door het lichaam van de hofduider. Met de oude hofduider had hij keurig afgerekend. Het teken dat hij verstuurd had, was goed aangekomen en de Botten lieten Ajala zien wat hij wilde dat ze te zien kreeg.

Nu wilde hij weten of alles in de bergen volgens plan verliep. Hij trok zijn zwarte kleding aan en plaatste de negen rituele kaarsen op de grond. Een voor een stak hij ze aan en voelde de kracht van zijn Heer.

Hij concentreerde zich op de kaars van de Oorsprong. 'Heer van de Schemering, ik roep uw alziend vermogen op. Laat mij zien hoe het staat met de experimenten met het water. Hoe is het met de jongen? Waar hangt de hertog uit?'

De vlam flakkerde wild, werd groter en groter. In het blauwe midden van de vlam verscheen een beeld. Hij herkende het meer waar Walbert een van de eerste proeven had gedaan. Het hele meer was doodgeslagen en stonk naar verrotting. Een mislukking, de mensen mochten niet gewaarschuwd worden.

Er was beweging bij het meer. De hertog en zijn mannen kwamen eraan, bleven een tijdje en vertrokken weer.

Ze hebben het meer dus ontdekt, dacht hij. Dat wil niets zeggen. Ze weten niet waarom het meer is doodgeslagen. En als ze wel raden dat er opzet in het spel is, kunnen ze toch niets doen.

In de vlam verscheen het beeld van een kampement tussen twee rivieren. Twee soldaten van de hertog doken onder de sterrenhemel in de Indor. Hij glimlachte. Dit was de mooiste proef die hij kon wensen. Walbert en zijn mannen hadden de Indor bij de oorsprong vergiftigd. Ze hadden dieren laten drinken van het water waarna die een verschrikkelijke dood waren gestorven. De proef was veelbelovend, maar ze hadden nog niet getest of het vergiftigde rivierwater ook dodelijk voor mensen was. En ze wisten ook niet of het gif in de loop van de rivier niet te veel verdunde.

In de vlam verdwenen de sterren en verscheen de zon. Twee zieke soldaten, wiens lichamen langzaam afstierven. Toen verscheen opnieuw de sterrenhemel, de zon, een brandstapel onder een bijna volle maan en een verslagen groep reizigers.

Zijn glimlach werd breder. Wat een succes! Hij zou Walbert een bericht sturen dat er geen verdere proeven nodig waren. Ze konden vertrekken naar het uiteindelijke doel.

HOOFDSTUK XI

Ajala draalde. Ze moest gaan maar ze wilde Odmund niet verlaten. Alweer had ze een hele nacht naast hem gewaakt. Er was geen verbetering. Hij lag daar nu al twee dagen met zijn ogen dicht. Zijn huid was haast doorzichtig, alsof hij langzaam aan het verdwijnen was.

'Odmund, ik moet gaan.' In de deuropening draaide ze zich nog een keer om. Wat als er iets met hem gebeurde als zij er niet was? Ze klemde haar kiezen op elkaar en verliet het slaapvertrek. In de kamer ernaast wachtte een van de kruidenvrouwen tot ze nodig was. 'Zorg je ervoor dat er altijd iemand bij hem is? Als er iets gebeurt, dan wil ik meteen gewaarschuwd worden.'

'Vanzelfsprekend, vrouwe Ajala. Ik zal goed voor hem zorgen.'

Vrouwe Ajala... Het was raar om zo aangesproken te worden door iemand die haar grootmoeder had kunnen zijn. Sinds de koning officieel bekend had gemaakt dat zij de nieuwe hofduider was, sprak iedereen haar aan met *vrouwe Ajala*.

Ze rende door de gangen naar haar eigen vertrek om zich te wassen, aan te kleden en een borstel door haar verwilderde haardos te halen. Ze moest hoognodig in bad, maar niet nu. Op de terugweg haalde ze ontbijt in de keuken.

Al lopend lepelde ze een zoete fruitpap naar binnen. Onderweg naar de werkkamer kwam ze Rotwardo tegen. 'Goedemorgen, vrouwe Ajala.'

Ze knikte hem toe en wilde verder lopen, maar de broer van de koning hief zijn hand. 'Hoe staat het met je onderzoek naar de dreiging voor de koning? Hoe kunnen we het onheil afwenden? Weet je al wie de verrader is?'

'Ik ben druk bezig, heer. Ik was op weg naar de werkkamer om duidingen te doen.'

Rotwardo kwam een stap dichter bij. 'Ik maak me ernstige zorgen. Zeg me dat je die kunt wegnemen, dat je weet wie dit onheil over ons heeft afgeroepen. Die man moet gestopt worden. Het koninkrijk staat op het spel!'

Alsof zij dat niet wist. Probeerde hij haar een schuldgevoel aan te praten of wilde hij haar aanmoedigen om haar uiterste best te doen? 'Het spijt me, ik weet nog niet wie de verrader is.'

Rotwardo leek te ontspannen, er verscheen een flauwe glimlach op zijn gezicht. Ajala knipperde met haar ogen en de glimlach was verdwenen. Ze had het zich vast verbeeld. 'Met uw goedvinden, ga ik nu aan het werk. Ik zal er alles aan doen om de verrader op te sporen.' Ze glipte langs hem heen en beklom de trap.

De werkkamer baadde in het zonlicht. Kleine stofjes dwarrelden in de zonnestralen. In het dakraam was geen wolk te zien.

'Zoek de persoon die moet sterven voor het koninkrijk,' moedigde ze zichzelf aan. 'Nog maar dertien dagen tot donkere maan.' En ik weet nog helemaal niks, dacht ze. Ze wist niet eens of het een jongen of een meisje was. Ze pakte een zilveren kopstuk en concentreerde zich. Als de ronde vorm van Mirmana verscheen, was het een vrouw. Ze gooide de Munt omhoog. Rond en rond draaide hij voordat ze hem opving. Mirmana voor vrouw, koning voor man, herhaalde ze in gedachten. Toen ze haar hand opende, keek de beeltenis van koning Adelhart haar aan.

'Dank je wel, Munt,' zei ze zacht. Ze legde de Munt terug op zijn plaats en pakte Odmunds Botten. Er ging een rilling door haar heen toen ze de fluwelen zak aanraakte. De Botten voelden zo koud en afstandelijk aan... Waren de Botten ook ziek?

Ze twijfelde. Kon ze de Botten wel gebruiken als ze ziek waren? Tot nu toe hadden ze haar goed geholpen. Waarschijnlijk maakte ze zich druk om niets. Maar ze moest tijd vrijmaken om haar eigen Botten te verzamelen. Als Odmund... Ze weigerde daar verder over na te denken.

Ze schudde de zak door elkaar in de hoop het vertrouwde gerammel te horen. Een dof gekletter kwam uit de zak. Het klonk helemaal niet goed.

'Botten, kom op. Doe het voor Odmund. Ik moet weten hoe we die jongen kunnen vinden. Voor het te laat is. Hoe kunnen we hem herkennen?'

Ze probeerde in haar hoofd het beeld op te roepen van een vijftienjarige jongeman. Meer dan een silhouet van een magere knaap kwam er niet. Wie ben je? Hoe kan ik je vinden?

Terwijl ze de zak schudde, herhaalde ze haar vragen. Kletterend vielen de Botten. Op de legdoek lagen slechts twee Botten. Berstin en Verselle.

Ajala trok haar wenkbrauwen op. Wat moest ze daarmee? Het teken van de koning, dat was het antwoord van de Botten. Ze begreep er niets van. Hoe kon ze de jongen herkennen aan het teken van de koning? Droeg hij het teken van de koning? Zulke jonge ridders waren er toch niet? Of kon alleen de koning de jongen herkennen?

Daar zou hij blij mee zijn: 'Koning Adelhart, u zult zelf de jongen moeten zoeken.' Waren de Botten dan toch ziek? Of was zij te dom om hen te begrijpen?

'Bedankt, Botten,' zei ze terwijl ze ze opruimde. Het klonk eerder verwijtend dan dankbaar.

Misschien konden de Kaarten duidelijkheid brengen. Ze ging op het puntje van de tafel zitten en schudde net zo lang tot er een Kaart in haar schoot viel. Odmund deed altijd uitgebreide leggingen met zeven, negen of elf Kaarten. Zij gaf de voorkeur aan slechts één. Het duurde lang voordat er een Kaart in haar schoot viel. Het waren er twee! Ze legde ze naast elkaar op tafel. De Kaart van de koning en de Vlek. Alweer de koning.

Wat moest ze met de Vlek? Ze had het altijd al een lastige Kaart gevonden. De afbeelding was eenvoudig: een donkerbruine vlek op een lichtgele achtergrond. De vorm van de vlek leek iedere legging te veranderen. Nu zag hij er stekelig uit.

Toen ze haar Kaarten had gemaakt, moest ze van Odmund contact maken met iedere Kaart om achter de betekenis te komen. Over de Vlek had ze dagen gedaan. Wat kon een vlek vertellen? Het kon een besmetting betekenen of wijzen op een duistere periode. Of op een smet op iemands verleden, heden of toekomst. Meestal duidde de Vlek iets negatiefs aan. Iets wat men wilde verbergen of wegpoetsen.

Hoe kon ze dat verbinden met de jongen? Had koning Adelhart nog een duister geheim? Ajala's mond viel open. Nee, dat kon niet waar zijn. Zou de koning een bastaardzoon hebben?

Zacht schudde ze haar hoofd. Was dat mogelijk? Als ze iets geleerd had de laatste tijd, was het wel dat alles mogelijk was.

Het paste precies: de bastaardzoon van de koning moest sterven voor het koninkrijk. Moest zij dit tegen koning Adelhart zeggen? Zou hij haar dan ook vermoorden?

Het leek alsof haar keel werd dichtgeknepen door twee stevige handen. Ze vloog de werkkamer uit, de lange wenteltrap af, naar buiten toe. Daar ademde ze diep in. Ze kreeg weer lucht!

Haar hoofd voelde als een vat vuurpoeder dat op ontploffen stond. Ze rende naar de kasteeltuin. Het was er druk. Kinderen speelden, verliefde paartjes wandelden hand in hand, hoogwaardigheidsbekleders zaten op bankjes te praten. Door het mooie weer waren de vijvers en de Imkar net zo aantrekkelijk als een warme haard in de winter.

Ajala wilde rust, geen geluiden om zich heen. Ze volgde de Imkar net zolang tot ze een plekje vond waar niemand was.

Ze ging op haar buik in het gras liggen en liet haar handen door het verfrissende water glijden. Meteen werd ze rustiger, alsof de stroming haar zorgen en haar angst met zich meenam. Ze spiedde om zich heen, nee, er was echt niemand. Met een plons dompelde ze haar hoofd onder. Heerlijk!

Via haar natte haren liep het water over haar gezicht en over haar rug. De kou kalmeerde haar. Wild schudde ze haar hoofd, de waterdruppels vlogen alle kanten op.

Ze kon weer helder denken. Wat moest ze doen? Reinold durfde ze niet in vertrouwen te nemen. Die zou alles doorbrieven aan de koning. En Odmund… Er was er maar één die deze problemen kon oplossen en dat was zij.

Met een zucht liet ze haar handen in de Imkar zakken. Het stromende water streelde haar vingers geruststellend. De zon scheen op het water. Met een glimlach keek ze naar de glinsteringen.

Het water werd troebel, donker. Het silhouet van de jongen verscheen. Hij moest gevonden worden. Als hij niet stierf voor de donkere maan, zou de wereld vergaan.

Waar ben je? Wie ben je? vroeg ze in stilte.

De jongen bewoog zijn arm, hij wees naar een donkere vlek die door de stroming werd meegevoerd. De vlek veranderde, werd gladder van vorm, kreeg punten. Een kroon met vier punten dobberde in het water.

'Ik weet al dat je de zoon van de koning bent. Hoe kan ik je vinden?' fluisterde Ajala.

De jongen bewoog zijn hoofd van links naar rechts.

'Wat nee?'

De wijzende hand ging heen en weer, alsof de jongen ongeduldig was.

'De kroon. Gaat het om de kroon?'

Het silhouet knikte.

'Ik snap het niet. Hoe kan ik je vinden aan de hand van die kroon?'

De randen van de kroon vervaagden, werden lichter van kleur. Huidskleur verscheen onder de donkere vorm van de kroon. 'Aha,' riep Ajala uit. 'Je bent getekend met een vlek die op een kroon lijkt.' Dat was het teken van de koning, de kroon. Het had niets met een bastaardzoon te maken. 'Pffff, wat een opluchting!'

De jongen knikte. Geleidelijk vervaagde zijn silhouet tot er alleen stromend water overbleef. Het Water was weer gewoon water.

Ajala ging rechtop zitten en veegde een natte sliert haar uit haar gezicht. 'Dank je wel, Water. Je hebt me echt geholpen.' De jongen was op te sporen, ze kon de koning eindelijk positief nieuws brengen vanavond.

De jongen leek een vriendelijk persoon. Was het wel eerlijk dat hij moest sterven? Met zijn dood zou hij de wereld redden. Maar hij zou dan wel sterven door haar toedoen. Wat als ze de tekens verkeerd geïnterpreteerd had?

Nee, zo mocht ze niet denken. Ze was de hofduider en ze deed haar werk goed. Ze stond op en bond haar natte haar in een staart. Ze zou even bij Odmund gaan kijken en daarna het bos in gaan, op zoek naar haar eigen Botten. De tijd drong.

'Hoe gaat het met Odmund?' vroeg de koning.

Ajala haalde haar schouders op. 'Nog steeds hetzelfde.'

'En hoe gaat het met jou?' Ook dat vroeg de koning al twee avonden op rij. Ajala vroeg zich af of hij echt in haar geïnteresseerd was of dat hij alleen wilde weten of ze haar werk nog kon doen. Het werd steeds moeilijker om hem als een nobel heerser te zien. Hoe meer ze met hem samenwerkte, hoe sneller dat beeld afbrokkelde.

‘Ik heb goed nieuws. Vandaag hebben de Voorspellers mij laten zien dat de beslissende factor een jongen is en hoe we hem kunnen opsporen.’

Koning Adelhart en Reinold bogen tegelijkertijd naar voren, alsof ze met touwen aan elkaar vastzaten.

‘De jongen is getekend met een vlek in de vorm van een kroon met vier punten.’

De mannen zakten met een zucht van verlichting terug tegen de rugleuning aan. ‘Uitstekend werk, Ajala,’ zei de koning.

‘Goed gedaan,’ zei Reinold enthousiast. ‘We moeten dus op zoek naar een jongen die een zeer karakteristiek kenmerk op zijn lichaam heeft. Heb je verder nog aanwijzingen? Weet je of hij in de buurt of in de uithoeken van het koninkrijk woont?’

‘Volgens de Voorspellers is de jongen op te sporen aan de hand van die vlek. Meer weet ik niet.’

‘Dan zullen we een manier bedenken om hem op basis van die vlek te vinden,’ zei Reinold.

‘De gemakkelijkste manier,’ zei koning Adelhart langzaam, alsof hij nog nadacht over zijn woorden, ‘is om in het hele koninkrijk te verkondigen dat we op zoek zijn naar een speciaal iemand.’

Reinold knikte. ‘We moeten een goede reden bedenken waarom we naar die jongen op zoek zijn. Als we bekendmaken dat hij moet sterven voor het koninkrijk zal niemand zich melden. Het moet aantrekkelijk zijn om op de oproep te reageren. Misschien kunnen we een beloning uitloven?’

‘Dan is er nog de kwestie van de donkere maan. Er is weinig tijd. Als de herauten morgen het land intrekken met de boodschap en regelmatig van paard wisselen, dan duurt het vier dagen voordat ook het verst gelegen dorp in mijn koninkrijk bereikt is,’ mompelde de koning.

‘Het moet kunnen. Tel er uiterlijk zes dagen bij op om die jongen hier te krijgen, dan hebben we tijd genoeg,’ zei Reinold.

Ajala luisterde verwonderd hoe de raadsheer en de koning elkaars zinnen afmaakten of aanvulden. Zelf twijfelde ze of het allemaal zo gemakkelijk zou gaan. Ze hadden nog maar dertien dagen. Alles moest wel heel voorspoedig verlopen. Wat als de herauten net dat afgelegen huis misten waar de jongen woonde? Ze konden toch nooit iedereen in het koninkrijk binnen vier dagen bereiken?

'Laten we ons op de boodschap concentreren,' zei Reinold. Hij tikte met zijn vingertoppen tegen elkaar. 'Heb jij nog ideeën, Ajala? Hoe krijgen we die jongen hier?'

'Door hem iets te geven wat iedere jongen wil hebben,' zei ze zonder er echt bij na te denken.

De koning glimlachte. 'Je hebt helemaal gelijk.'

Ajala probeerde haar wenkbrauwen niet op te trekken.

'We geven de jongen de prinses.'

Ajala kon nog net een kreet onderdrukken. Wilde de koning zijn eigen dochter als prijs weggeven?

Reinold lachte. 'Daar zullen de jongens op afkomen als bijen op honing. Ik denk zelfs dat we oplichters zullen krijgen. Maar daar hebben we jou voor.' Hij keek Ajala aan. 'Jij zult de echte jongen vinden tussen de bedriegers.'

Haar maag kwam in opstand. Sinds ze zich had gerealiseerd dat zij deze jongen veroordeelde tot de dood, had ze een brandend gevoel in haar maag. Voor die mannen was het de normaalste zaak van de wereld om met de levens van anderen te spelen. Het leek hen nog minder te raken dan het doodslaan van een vlieg. Zou Odmund er ook zo weinig moeite mee hebben? Of zou je eraan wennen, als je dit werk al jaren deed? Ajala kon het zich niet voorstellen.

'Amitha wordt vijftien met de donkere maan, dus we kunnen zeggen dat ze zich op haar vijftiende verjaardag zal verloven,' zei de koning.

Zelfs zijn eigen dochter wordt ingezet alsof ze een willoze pop is, dacht Ajala verontwaardigd.

'We kunnen het nog mooier maken,' zei Reinold en hij liet een korte stilte vallen. 'We zeggen dat de hofduider heeft gezien dat prinses Amitha zich op haar verjaardag zal verloven met een bijzondere jongen. Een jongen die door Mirmana getekend is met het symbool van de kroon.'

Ajala kon het niet ontkennen: het was een meesterlijk plan. Iedere knaap zou zijn lichaam onderzoeken in de hoop de uitverkorene te zijn. Welke jongen droomde er niet van om met de prinses te trouwen? Waarschijnlijk zou de koning geprezen worden omdat hij Amitha niet aan iemand van hoge komaf uithuwelijkte, maar aan de uitverkorene, van welke komaf hij ook zou zijn. Het was niet te geloven.

'Je kijkt bedenkelijk, Ajala,' zei de koning.

Ze vervloekte haar open gezicht. Als koning Adelhart haar gedachten nog gemakkelijker kon lezen dan een perkamentrol, moest ze oppassen. 'Ik vroeg me af hoe de mensen zullen reageren als ze er later achter komen dat de prinses niet verloofd is en de jongen dood.'

'Mmm,' bromde de koning.

'Dat is niet zo'n probleem. Ik verwacht een heleboel gegadigden, allemaal oplichters. Uiteindelijk zeggen we dat de uitverkoren persoon niet gevonden is. Voor de familie van de jongen verzinnen we wel wat. Een ongeluk is zo gebeurd.' Reinold sprak luchtig, alsof het ging om wat voor kleren hij morgen zou dragen.

'En mijn zogenaamde voorspelling dan?' wierp Ajala tegen. 'De prinses zal zich met niemand verloven. De mensen zullen geen vertrouwen meer in me hebben.'

'Daar zit wat in,' zei koning Adelhart met een diepe frons op zijn voorhoofd. 'Het is belangrijk dat het volk onvoorwaardelijk gelooft in de hofduider.'

Zodat ik ze leugens kan vertellen als dat de koning goed uitkomt, dacht Ajala.

'Ook dat is op te lossen. We zeggen dat dit de laatste voorspelling van Odmund was. Als later blijkt dat het een foute voorspelling was, wijten we dat aan zijn ziekte.'

Wilden ze de reputatie van Odmund onteren? Terwijl hij al die jaren zijn leven had gegeven voor de kroon? Was zijn dank dat de mensen hem zouden herinneren als de hofduider met de waanvoorspellingen? 'Dat is niet eerlijk tegenover Odmund,' zei ze zwakjes.

'Maak je over Odmund geen zorgen, hij zou het begrijpen,' zei Reinold.

Hij schrok op. Vloekend kwam Amitha zijn vertrek binnen gestampt. 'Heeft u al gehoord wat die vader van me heeft gedaan?'

Hij had het al gehoord, maar liet haar uitrazen.

'Hij gaat me verloven. Op mijn verjaardag! Met een of andere boerenkinkel die toevallig een vlek in de vorm van een kroon heeft. Hoe kan hij? Hoe kan hij me dit aandoen!' Ze was zo boos dat ze over haar woorden struikelde. Het temperament van haar moeder.

'Kom even rustig zitten, dan...'

'Rustig zitten? Ik wil helemaal niet rustig zitten. Ik wil hier weg! Ik ga toch niet afwachten tot ze me uithuwelijken aan een of andere onverlaat?' Ze stampte zo hard dat hij dacht dat ze een gat in de vloer zou maken.

'Wat wil je dan?' Toen hij hoorde van de plannen van Adelhart was hij net zo woedend geweest als Amitha. Tot hij zich bedacht dat dit Amitha zou verwijderen van de man die zij als vader zag.

'Wat ik wil? Hier weg natuurlijk. Ik blijf hier geen moment langer. Vannacht vertrek ik.'

Hij perste zijn lippen op elkaar om niet in lachen uit te barsten om haar verhitte reactie. 'En dan? Waar ga je heen?'

'Dat weet ik niet en het kan me niet schelen ook.' Haar handen waren tot vuisten gebald.

'Denk je dat je vader je laat gaan? Dat er ook maar één plek in dit koninkrijk is waar je veilig bent? Iedereen kent je, je bent de prinses.'

'Hier heb ik ook niets aan.' Ze draaide zich om en beende in de richting van de deur. 'Ik dacht dat u me zou helpen. Maar ik zoek het zelf wel uit.'

Hij vloog naar haar toe en hield haar tegen. 'Je vader offert je op als een nietsbetekenende soldaat. Maar aan ondoordachte plannen heb je niks. Volgens mij heb je genoeg lessen strategie en politiek gehad om dat te weten.'

Amitha liep heen en weer door zijn vertrek. 'Ik wil hem nooit meer zien, nooit meer iets doen wat hij graag wil en ik ga zeker niet trouwen. Wilt u me helpen?' Ze keek hem aan met haar mooie, grote ogen. Een dochter naar haar moeders evenbeeld.

'Natuurlijk help ik je. Ik ben er toch altijd voor je geweest? Ik denk dat het tijd wordt dat je vader inziet dat jij een volwassen vrouw bent die haar eigen keuzes maakt.'

Ze knikte driftig.

'Het is tijd om na te denken over je toekomst. Wat wil je? Wil je verdwijnen en een onopvallend leven leiden, of wil je regeren en laten zien dat jij het beter kunt dan je vader?'

'Ik wil niets liever dan regeren, maar die kans zal ik nooit krijgen. Willeman is de eerstgeborene. U zou dat toch moeten weten.'

Hij onderdrukte een grom. 'Het zou rechtvaardiger zijn als er op basis van kwaliteiten bepaald werd wie er regent wordt. En niet wie er toevallig eerder geboren is...'

Amitha deed een stap in zijn richting. 'U weet wat ik bedoel! Het is allemaal zo oneerlijk. En omdat ik een vrouw ben, word ik uitgehuwelijkt aan de eerste de beste die langskomt.'

'Daar moeten we dan maar eens verandering in brengen, nietwaar?'

Haar gezicht klaarde op. 'Ik zal papa laten zien dat ik geen klein kind ben dat alles pikt!'

Hij grinnikte, dit was te mooi om waar te zijn. Eerst zou Adelhart zijn dochter verliezen, daarna zijn koninkrijk en uiteindelijk zijn leven.

HOOFDSTUK XII

Na vier dagen langs de bedding van de Indor gereden te hebben, ontdekten de mannen van de hertog eindelijk de verblijfplaats van de vijand. Hun kamp lag bij de oorsprong van de rivier. De soldaten hadden de vijand een hele dag en nacht bespioneerd en plannen gesmeed. Vannacht zouden ze aanvallen. Slechts drie bergruggen scheidden het kamp van de hertog van dat van de vijand.

'Jullie bewaken het kamp,' zei hertog Bauenold aan het begin van de middag.

Miron zuchtte van opluchting. Hij genas liever mensen dan dat hij ze verwondde.

'Maar vader...' protesteerde Lanzo.

'Laat ik héél erg duidelijk zijn, Lanzo. Jullie blijven vanavond hier.'

'Maar vader...'

'Is het nog niet tot je doorgedrongen hoe gevaarlijk onze tegenstanders zijn? Wij hebben geen tijd om op jullie te letten. We zullen onze handen vol hebben.'

'Maar u hoeft helemaal niet op mij te passen! Ik zal als een echte soldaat meevechten,' zei Lanzo.

Had Lanzo niets geleerd van hun mislukte wacht? vroeg Miron zich af. Dit was geen spelletje. Vijfendertig vijanden tegen negentien man van de hertog. Er zou bloed vloeien. Er zouden doden en gewonden vallen en Lanzo wilde maar één ding: meevechten en de held uithangen.

'Ik heb te veel aan mijn hoofd om me met jouw kinderachtige gedrag bezig te houden. Of je belooft me dat je hier in het kamp zult blijven, of ik laat je vastbinden vanavond.' De hertog keek zijn zoon dreigend aan.

Even dacht Miron dat Lanzo zijn vader zou aanvallen, hij had zo'n verwilderde blik in zijn ogen. Maar Lanzo boog zijn hoofd. 'Ik beloof dat ik hier zal blijven,' zei hij nauwelijks hoorbaar.

De hertog klopte zijn zoon op zijn schouder. 'Een verstandig besluit. Jouw tijd komt nog wel. Als de situatie minder gevaarlijk was, had ik je meegenomen.' De hertog sprak weer vriendelijk. Hij richtte zijn blik op Miron. 'Mochten er gewonden vallen, dan sturen we ze naar jou.'

Moest hij voor de gewonden zorgen? Helemaal alleen?

'Je hoeft niet zo verontrust te kijken. Je krijgt alleen de mannen die zelfstandig terug naar het kamp kunnen, dus heel ernstig zal het niet zijn. Volgens Darak zijn ze bij jou in goede handen. Zorg ervoor dat je klaar bent om na de aanval Darak te assisteren. Er zal hevig gevochten worden.'

'Ik zal klaar zijn,' zei Miron vol overtuiging. 'Al hoop ik dat mijn hulp niet nodig is.'

'Dat hoop ik ook niet voor hen,' zei Lanzo. Sinds Miron bij Darak in de leer was, was Lanzo niet te genieten. Wat Miron ook deed, Lanzo snauwde en commandeerde en liet hem verder links liggen.

De hertog zuchtte. 'Ik ga beraadslagen. Ik zie jullie nog wel voordat we gaan.'

'Vader, mag ik wel bij het beraad aanwezig zijn? Om ervan te leren?' vroeg Lanzo.

'Dat mag. Wil jij ook mee, Miron?'

'Als u het goed vindt, ga ik liever Darak helpen met zijn voorbereidingen.'

'Natuurlijk.' Hertog Bauenold en zijn zoon verdwenen in de richting van de tent van de hertog.

Het was ongewoon stil in het kamp. De soldaten waren op weg naar de strijd. Miron hoopte dat het snel voorbij zou zijn. Nogmaals controleerde hij zijn spullen. Alles lag klaar: verband, schone doeken, warm water en kompressen om het bloeden te stelpen.

Lanzo kwam aangelopen. 'Meekomen.'

'Waarheen?' vroeg Miron. Hij zou toch niet...

'Wat denk je zelf? De mannen achterna natuurlijk.'

Miron schudde zijn hoofd. 'Je hebt je vader beloofd dat je hier zou blijven.'

'Dacht je echt dat ik hier naar de sterren ga zitten kijken? Kom op, we gaan.'

Miron wist niet wat hij moest zeggen. Lanzo deed gewoon waar hij zin in had. Ongeacht het gevaar. 'Je brengt jezelf en de rest van de mannen in gevaar als je gaat. En wie waakt er dan over het kamp?'

'Je zou jezelf eens moeten horen. Je bent net een jankende puppy. Ik ga en jij gaat met mij mee. Opschieten!'

Miron wrong zijn handen ineen. Had Lanzo gelijk? Was hij een jankende puppy die zich verschool achter de opdracht van de hertog omdat hij bang was?

Lanzo gaf hem een duw. 'Opschieten. Straks is alles al voorbij.'

'Alsjeblieft, Lanzo. Wat als je gewond raakt?'

'Dan heb ik toch de geweldige leerling van Darak bij me? Jij bent mijn page en ik beveel je om met me mee te gaan.'

Lanzo zou gaan. En het was Mirons taak om voor Lanzo te zorgen. Maar ook voor het kamp en de gewonden. Wat moest hij in Mirmana's naam doen?

'Als je nu niet in beweging komt, kun je hier blijven staan. Dan ben je niet langer mijn page en zorg ik ervoor dat je bij de zwervers belandt.'

Miron rilde, alsof hij in een koude bergrivier was gegooid.

'Alsjeblieft, Lanzo, blijf hier. Denk aan wat je je vader beloofd hebt.'

Lanzo gaf hem een duw waardoor hij met een smak op de grond viel. De hertogszoon liep met grote stappen weg. 'Lafaard!'

Miron krabbelde op en holde Lanzo achterna. Hij moest de hertogszoon tegenhouden. 'Heb je niets geleerd van onze mislukte wacht? Wij zijn hier niet klaar voor! Wat als je overmeesterd wordt? Wat als ze een mes tegen je keel drukken en eisen dat de rest van onze mannen hun wapens neerleggen?'

'Nutteloos misbaksel. Jij kunt alleen denken aan wat er mis kan gaan. Blijf maar lekker hier, ik wil niets meer met je te maken hebben. Ga thuis aan de rokken van je moeder hangen, angsthaas.'

Lanzo's woorden waren scherper dan een pas geslepen mes. Ze reten Mirons hart aan flarden. In een waas trok hij aan de mouw van Lanzo's overjas.

Lanzo beloonde hem met een klap in zijn gezicht. 'Blijf van me af, rattenvoer.'

'Ik ben geen rattenvoer!' gilde Miron terwijl hij op de hertogszoon af vloog. Lanzo tuimelde achterover met Miron bovenop zich. Woedend stompte Miron Lanzo overal waar hij kon, in zijn zij, op zijn gezicht, op zijn borst. Lanzo greep hem vast en rolde om zodat hij bovenop lag. Een regen van slagen volgde. Miron probeerde zijn gezicht te beschermen met zijn armen. Lanzo's vuisten leken overal tegelijk te zijn. Piepend hapte hij naar adem en probeerde Lanzo met zijn benen weg te duwen.

'Verrader,' zei Lanzo met een blik vol haat. Zijn vuist trof Mirons slaap.

Toen Miron bijkwam deed zijn hele lichaam zeer, alsof hij was overreden door een volgeladen kar. Terwijl hij overeind krabbelde, schudde hij zijn hoofd. Wat had hem bezield? Hij had Lanzo aangevallen. De heer die hij behoorde te dienen en beschermen.

Langzaam drongen de consequenties tot hem door. Lanzo zou eisen dat hij verbannen of gedood zou worden. De hertog? Zou hij willen luisteren naar het waarom?

Miron schudde zijn hoofd. De reden was geen excuus, hij had gedaan wat hij gedaan had.

De woorden die Lanzo hem had toegebeten, spookten door zijn hoofd. Nutteloos misbaksel, rattenvoer, verrader. Miron snoof een huilbui weg. Hij was geen jankende puppy!

Moest hij hier wachten op de straf die hij zou krijgen? Of kon hij beter vertrekken? Nee, hij zou blijven, hij had nog steeds een taak. Als er gewonde mannen kwamen, zou hij ze helpen. Misschien dat hij dat wel goed kon doen.

Wat als Lanzo iets overkwam? Die gedachte verlamde hem. Dan was het zijn schuld. Hij had de hertogszoon laten gaan. Nu was het te laat. Hij was de slechtste page en vriend ooit.

Hij sjokte naar het kampvuur. Hij voelde zich leeg. Wat had hem bezield? Hij had nog nooit gevochten. Hoe kon hij zo stom zijn? Hij had een geweldige kans gekregen van Darak en de hertog. En hoe bedankte hij de hertog? Door zijn zoon te verraden. Nee, dat was niet waar. Alles wat hij wilde, was Lanzo beschermen. Hij had zich aan de opdracht van de hertog gehouden. Lanzo had in het kamp moeten blijven. Punt uit.

Nu hij er zo over nadacht, vond hij dat hij het goed gedaan had. Hij was niet de enige die gevochten had. Ook Lanzo was schuldig. Waarom moest de hertogszoon altijd zijn eigen zin doordrammen? Zichzelf en anderen in gevaar brengen?

Geleidelijk verdween het lege gevoel. Het was goed geweest om tegen Lanzo in te gaan. Hij gedroeg zich als een onverantwoordelijk kind. Toch bad Miron tot Mirmana dat Lanzo veilig terug zou komen.

Eindelijk maakte hoefgetrappel een einde aan zijn eenzaamheid. Hij liep in de richting van het geluid. Van ver herkende hij de hertog en de kleinere gedaante die naast de hertog reed. Lanzo!

De groep werd groter en groter. Ze hadden gevangenen bij zich.

Een aantal paarden maakte zich los en reed vooruit. Darak gleed vlak voor Miron uit het zadel. 'Er zijn een paar mannen die verzorging nodig hebben. Ik heb de ergste wonden al verbonden.' Hij sprak rustig en vriendelijk, zoals normaal. Darak behandelde hem niet als een ter dood veroordeelde.

Miron was nieuwsgierig naar de strijd, maar zei: 'Ik ben er klaar voor. Wie kan ik als eerste helpen?'

Darak wees naar een man met een bloedende wond boven zijn wenkbrauw. Zelf ontfermde hij zich over een soldaat die een provisorisch verband om zijn zij had.

Miron pakte een schone lap en dompelde die in water dat net gekookt had. 'Dat is een lelijke snee,' zei hij terwijl hij de man gebaarde dichter bij te komen.

'Het is maar een schrammetje,' zei de soldaat. Zijn rechteroog zat half dichtgeplakt door het bloed. De man stonk naar zweet. Zijn uniform was gescheurd en zat vol vlekken, maar op de snee na, leek hij niet gewond.

'Hoe is het gegaan?' vroeg Miron.

De soldaat grijnsde tot Miron met de schone lap zijn wond depte. Hij vertrok zijn gezicht en keek Miron boos aan. Miron negeerde de blik en depte voorzichtig de wond schoon. De man verbeet de pijn en zei: 'Eerst hebben we de wachten van de vijand overrompeld. Ze hadden geen idee wat hen overkwam. Zonder dat ze alarm konden slaan, hebben wij ze alle vier uitgeschakeld. Vanuit de bosrand hebben we daarna een salvo pijlen op de vijand afgeschoten. Voordat ze naar hun wapens konden grijpen, waren er al zeker zeven mannen gevallen. Toen zijn wij met veel gejoel en geschreeuw hun kamp binnengestormd.'

Miron smeerde een dikke, vette zalf op de snijwond. De soldaat trok zijn neus op. 'Dit spul stinkt nog erger dan mijn grootmoeder!' zei hij.

'Het kan nooit erger stinken dan jij,' zei een soldaat die stond te wachten tot Miron de bloedende jaap in zijn schouder kon verzorgen. Het bloed drupte op het gras, maar hij stond erbij alsof hij op een mok thee stond te wachten.

Miron wenkte hem dichter bij en sneed het uniform van de soldaat aan flarden. De stof plakte aan de wond. Miron draaide zijn hoofd weg toen hij de stof wegtrok.

'Gloeiende geitennakker!' kermde de soldaat.

'Blijf stil staan,' zei Miron en hij depte de wond die hevig bloedde. 'Wat gebeurde er toen?' probeerde hij de soldaat af te leiden.

'Toen hebben we ons in het gevecht gestort!' zei de soldaat met de bloedende schouder. Hij kreunde zacht voordat hij verderging. 'Twee vijanden kwamen tegelijkertijd op me af. Ik tolde en draaide en sloeg om mij heen. Voordat ik het wist, lagen ze bloedend op de grond.'

'En had jij een snee in je schouder,' vulde zijn maat aan.

Hoofdschuddend verzorgde Miron de nog steeds bloedende jaap. Zijn vingers glibberden van het bloed en hij werd beroerd van alle verhalen, terwijl de mannen deden alsof het een lolletje was. 'Zijn er aan onze kant doden gevallen?'

'Ranok heeft als de beste gevochten!' zei de man met de hoofdwond. 'Hij heeft minstens drie van die smeerlappen met zich meegenomen naar Mirmana. Hij ging als een wilde tekeer. Totdat ze hem te pakken kregen. De honden. Maar we hebben ze allemaal weten te grijpen. Niemand is ontkomen.'

Eén dode... Tegenover zo'n overmacht was dat een wonder. 'En hebben jullie Lanzo gezien? Heeft hij meegevochten?'

De soldaat met de hoofdwond knikte. 'Hij heeft Rimsta gered. Ik zag het vanuit mijn ooghoeken gebeuren, terwijl ik probeerde zo snel mogelijk de twee vijanden die het op mij gemunt hadden uit te schakelen. Rimsta stond gewond met zijn rug tegen een boom en was omringd door drie man. Toen kwam Lanzo op zijn paard aangestoven. Hij heeft twee van die honden een flinke klap met zijn zwaard verkocht waardoor Rimsta de derde kon uitschakelen.'

'Die Lanzo,' mompelde Miron. Hij wist niet of hij jaloers of trots moest zijn.

Miron onderzocht een derde soldaat, die een paar gebroken vingers had. Hij spalkte de vingers terwijl de man tegen hem gromde van de pijn maar wel opschepte over zijn aandeel in de strijd. Hij stonk naar geronnen bloed dat over zijn hele uniform verspreid zat. Het bloed van de vijand, dacht Miron. Hij ademde door zijn mond om de ranzige geur buiten te sluiten.

Naast hem behandelde Darak een soldaat wiens arm waarschijnlijk nooit meer een zwaard zou vasthouden. De man gilde toen Darak zijn arm vastpakte. 'Kan ik helpen?' vroeg Miron.

Toen alle mannen waren verzorgd, was Miron uitgeput. Zo veel bloed, zo veel pijn, zo veel ellende. Maar het was nog niet voorbij. In het midden van het kamp, vlak bij het vuur, hingen, lagen en zaten vijftien gevangenen. Zo te zien allemaal gewond. Hij keek Darak aan en wees naar de gevangenen. 'En zij?'

'Ik weet niet wat de hertog wil. Hij ondervraagt de leider van de bende op dit moment in zijn tent. Als hij de gevangenen mee wil nemen, zullen we ze verzorgen. Maar...' Darak zweeg. Zijn gezicht leek een uitdrukkingsloos masker.

De hertog zou al die mannen toch niet ter dood veroordelen? Of wel? Zij waren immers verantwoordelijk voor de dood van Bor, Eno en Ranok. 'Dus ik mag niets voor ze doen?'

'Voorlopig niet. Wil jij vannacht bij Rimsta de wacht houden? Let op of hij koorts krijgt. Maak hem regelmatig wakker en zorg dat hij genoeg water drinkt. En ruik af en toe aan zijn wond.'

Stinkende wonden waren dodelijk, had Miron geleerd. Daarom moest iedere wond goed schoongemaakt en schoon gehouden worden. 'Dat zal ik doen. Als er problemen zijn, maak ik u wakker.'

'Dan ga ik vragen voor welke wacht ik ben ingedeeld. Met al die gevangenen zullen de wachten verdubbeld worden,' zei Darak en hij liep weg.

Miron vroeg zich af wat er met de gevangenen en met hem ging gebeuren. Misschien had de hertog het voorlopig te druk om zich met hem te bemoeien. De gevangenen waren een bedreiging voor de veiligheid van het kamp terwijl hij slechts een ruziezoekende page was. Hij haalde zijn schouders op. Hij zou vanzelf wel zien wat hem te wachten stond.

Miron hief zijn gezicht naar het rode ochtendlicht en rekte zich uit. De wind bracht de frisse geur mee van het dennenwoud dat achter het kamp lag. Mirons hoofd tolde van vermoeidheid, maar hij mocht niet klagen: de nacht was rustig verlopen. Rimsta had geluk gehad, zijn wond was niet ontstoken. Tot vlak voor zonsopkomst had er licht gebrand in de tent van de hertog. Af en toe had Miron een rondje gelopen om niet in slaap te vallen. Uit de tent van de hertog kwamen gesmoorde kreten. De haren op Mirons armen waren ervan omhoog gaan staan. Na een afgrijselijke gil was Miron hard weggelopen en had de tent van de hertog gemeden bij zijn volgende wandelingen.

Bij de gevangenen was alles rustig gebleven. Er waren continu drie mannen die hen bewaakten en daarnaast liepen twee mannen wacht. De soldaten hadden weinig slaap gehad, net als hij. Miron kon zijn ogen amper openhouden. Het liefste gooide hij een bak water over zijn gezicht, maar het water was nog steeds op rantsoen.

Hij maakte een ronde langs alle gewonde soldaten. Sommigen sputterden dat ze al die verzorging niet nodig hadden. Ze waren geen vrouwen! Zijn antwoord *opdracht van Darak* smoorde verder protest in de kiem.

Toen de zon al een eind geklommen was, werden ze bijeengeroepen. Ze verzamelden zich voor de tent van de hertog. Een vermoeid ogende hertog kwam naar buiten. Lanzo stond naast hem en keek dwars door Miron heen, alsof hij niet bestond. Miron slikte.

Denno sleepte een gevangene met zich mee en plantte die voor de hertog en zijn zoon. De leider van de bende. Er zaten dikke plakken geronnen bloed in zijn baard en op zijn gescheurde kleding. Zijn polsen waren met touwen aan elkaar vastgebonden. Hij hield zijn linkerhand krampachtig vast met de rechter, die moest wel gebroken zijn. Het gezicht van de man zat vol blauwe plekken, zijn rechteroog was gezwollen en zijn lippen waren gebarsten.

Toen de gevangene zijn blik op de hertog richtte, leek het alsof er een sneeuwbal in Mirons nek werd gegooid. Hij huiverde. Zo veel haat had hij nog nooit gezien. De ogen van de man waren zwarter dan kool, duisterder dan een maanloze nacht.

'Mannen,' begon de hertog, 'voor jullie staat heer Walbert. Degenen die al lang bij mij in dienst zijn, herkennen hem misschien. Mijn oude vriend Walbert.' De hertog schudde zijn hoofd voordat hij verder sprak, alsof hij zijn eigen woorden niet kon geloven. 'Een vriendschap die ik volgens hem heb verraden. Al die jaren heeft hij op een plan gebroed. Hij heeft bepaalde soorten gif bestudeerd om wraak op mij te nemen. Hij wilde mij alles afnemen wat mij lief was, omdat ik volgens hem hetzelfde bij hem heb gedaan. Samen met zijn mannen experimenteerde hij hier in de bergen hoe hij het rivierwater kon vergiftigen. Als wij hem niet gestopt hadden, had hij honderden onschuldige mensen vermoord.'

Walbert spuugde op de grond.

'Deze man is verantwoordelijk voor de dood van Bor en Eno. Daarom veroordeel ik hem tot de dood door ophanging.'

De soldaten juichten de beslissing van de hertog toe. Miron was blij dat die angstaanjagende ogen straks voor altijd gesloten zouden zijn. Walbert zelf leek niet onder de indruk. Wat kon er gebeurd zijn dat een voormalige vriend van de hertog zich zó tegen hem gekeerd had dat hij alle inwoners van het hertogdom wilde vergiftigen?

Denno wees twee mannen aan. Ze vertrokken om een geschikte boom te zoeken en een strop te maken. Terwijl ze wachtten, bestudeerde Miron de hertog. Heer Bauenold had hem nog niet recht aangekeken. Zouden de mannen Miron aan dezelfde boom ophangen als Walbert? Of had de hertog belangrijkere zaken aan zijn hoofd dan een ruzie tussen zijn zoon en een page?

Darak liep naar de hertog en overlegde. Daarna kwam hij naar Miron toe. 'De hertog heeft nog geen beslissing genomen over het lot van de gevangenen. Hij wil ze in ieder geval verhoren, dus we hebben toestemming om de ergste wonden te verzorgen.'

Miron was blij dat hij iets nuttigs kon doen. Wachten op een terechtstelling terwijl hij zelf ook nog gestraft zou worden, was niet echt prettig te noemen.

Zodra er een bruikbare boom gevonden was, liep iedereen op de gevangenen en hun bewakers na naar de plek waar de terechtstelling zou plaatsvinden. De mannen waren uitgelaten, alsof het een pleziertochtje was. Ze snoefden over hun aandeel in de strijd, over de wraak voor Bor en Eno en over de soldaat die gestorven was tijdens het gevecht.

Aan een hoge, dode boom die zijn kale takken stekelig de lucht instak, hing een strop. De boom stond ver verwijderd van alle andere vegetatie, alsof hij speciaal voor dit doel was neergezet.

Walbert werd op een paard naast de boom gezet. Het dier trappelde onrustig terwijl een soldaat het op zijn plaats probeerde te houden. Miron voelde dezelfde onrust. Ook hij had moeite om stil te blijven staan.

In een halve cirkel stonden ze om de boom heen, alsof ze toeschouwers waren van een straatartiest. Het was doodstil toen Denno de lus van de strop over het hoofd van Walbert trok.

Kaarsrecht zat de hertog op zijn paard terwijl hij sprak: 'Walbert, je bent veroordeeld tot de dood vanwege de moord op mijn mannen, het aanvallen van reizigers en het vergiftigen van de wateren. Heb je nog iets te zeggen?'

'Dat je mag rotten in de duisternis,' zei Walbert waarna hij op de grond spuugde.

Hertog Bauenold knikte naar Denno, die het paard een flinke tik op zijn billen gaf. Het toch al nerveuze dier hinnikte en sprong weg. Met een smak viel het lichaam van Walbert naar beneden. Miron hoorde de nek breken en kromp ineen. De laatste stuiptrekkingen trokken door Walberts lichaam waardoor het heen en weer bengelde aan de strop. Een natte plek verscheen in zijn kruis. Miron sloeg zijn hand voor zijn mond en draaide zich kokhalzend om.

Hij staarde in de kaars van de Oorsprong. 'Heer van de Schemering, ik roep uw alziend vermogen op. Laat mij de situatie in de bergen zien. Laat mij Walbert en de jongen zien.'

In de vlam verscheen een vaag beeld. De vlam groeide, het beeld werd groter en helderder. De jongen zat op zijn paard. Alles leek goed met hem te gaan.

Het beeld veranderde. Een dode boom waaraan een lichaam heen en weer bungelde. Walbert.

'Wat?' Het beeld trilde doordat hij zijn concentratie verloor. Ondanks al zijn waarschuwingen had Walbert zich laten overmeesteren. Hoe had Walbert zo stom kunnen zijn? Hij had opdracht gekregen om te vertrekken. Ongehoorzaam misbaksel. Nu was het te laat.

De duizend zielen... Wanhoop greep hem naar zijn keel. Zijn Heer had de kracht van duizend zielen nodig om de overgang naar het lichaam van de jongen te kunnen maken.

Het beeld veranderde in dat van een slagveld. Vertrapte spullen, een uitgebrand kampvuur, bloed, mannen en wapens op de grond. Dood, ze waren allemaal dood!

Panisch wendde hij zich tot zijn Heer: 'Heer van de Schemering, help mij, wat moet ik doen?'

Het beeld in de kaars liet een van de soldaten zien. Hij lag er bij zoals alle anderen: doods en onder het geronnen bloed. Hij had een open buikwond waar de vliegen boven cirkelden. Zijn glibberige ingewanden puilden over de rand van de wond. De borst van de man bewoog nauwelijks zichtbaar. Hij leeft nog! Onvoorstelbaar maar waar. Het was nog niet voorbij.

'Heer van de Schemering, geef mij toegang tot deze man. Geef hem de kracht van uw duistere vuur om zijn taak te volbrengen.' Hij sloot zijn ogen en concentreerde zich op de gewonde man tot hij het gevoel had dat hij niet langer alleen was. Hij zat in het gepijnigde lichaam. De soldaat had niet lang meer te leven, maar daar zou hij verandering in brengen. Hij duwde de ingewanden naar binnen en schroeide de wond dicht met het zwarte vuur van zijn Heer. Hij wakkerde de bloedstroom aan en pompte duistere krachten door het lichaam van de gewonde. De man kwam bij bewustzijn, bewoog zich tergend langzaam. Hij verzamelde alle levenskracht van de soldaat om hem op te laten krabbelen. Het lichaam trilde van inspanning. De man zou dit niet lang volhouden. Hij leefde in geleende tijd.

Zolang hij het maar volhoudt tot zijn taak volbracht is, dacht hij. 'Luister,' sprak hij de soldaat in zijn hoofd toe. 'Jouw taak is nog niet voorbij. Neem wraak voor alle doden om je heen. Voer alsnog je opdracht uit.'

De man had geen kracht om tegen te stribbelen. Hij kon amper rechtop blijven staan.

'Ik blijf bij je en zorg voor je,' zei hij en hij liet nog wat duistere magie door het lichaam stromen. 'Vertrek en voer je opdracht uit.'

HOOFDSTUK XIII

Glunderend liep Ajala terug naar het kasteel. Het was alsof de Botten voor het oprapen hadden gelegen. Als Odmund zou weten dat ze in drie zoektochten bijna al haar Botten had gevonden, zou zijn mond openvallen van verbazing. Maar waarschijnlijk komt hij het nooit te weten, dacht ze. Hij was al vijf dagen buiten bewustzijn. De kruidenvrouwen keken steeds zorgelijker. Toch ging ze hem het goede nieuws vertellen. Misschien hoorde hij haar wel.

Terwijl ze liep, rammelden de Botten in de fluwelen zak die aan een riem om haar middel hing. Haar Botten.

Vriendelijk zwaaide ze naar de twee wachters bij de hoofdpoort. De binnenplaats was afgeladen. De geur van paardenzweet en oud leer benam haar de adem. Bezoekers te paard wachtten tot de staljongens hun dieren van hen overnamen. Het waren allemaal jongemannen. Toch niet mannen die op de oproep reageerden? Nu al?

Bij de ingang van de rechtervleugel van het kasteel stond Reinold haar op te wachten. 'Ajala,' zei hij met een afgeknepen stem.

Een koude hand klemde zich om haar hart. Ze wilde wegrennen en de bedroefde blik van Reinold ontlopen, maar haar lichaam leek verstijfd. Toen Reinold zijn mond opende, schudde ze haar hoofd. Ze wilde het niet horen.

Reinold glimlachte haar weemoedig toe, legde een hand op haar schouder en kneep erin.

'Nee,' zei ze schor.

'Het spijt me, meisje. Odmund is vanochtend overleden.' Zijn woorden klonken zacht, alsof hij moeite had met praten.

‘Nee!’ Met haar hand zocht ze steun tegen de muur, haar knieen konden haar gewicht niet meer dragen. Ze zakte tegen de muur op de grond en sloeg haar handen voor haar gezicht.

Zacht wreef Reinold over haar bovenarm. ‘Huil maar, dat mag best.’

Terwijl zij door het bos wandelde, was Odmund in zijn eentje gestorven. Ze moest naar hem toe, hem zeggen dat het haar speet.

Ze veegde haar natte ogen en neus aan haar mouw af. Nieuwe tranen maakten haar wangen meteen weer nat. ‘Ik wil naar hem toe,’ zei ze.

‘Natuurlijk.’ Reinold hielp haar met opstaan. Door haar tranen was de omgeving wazig. Ze wilde verdwijnen in die waas, in bed kruipen en er nooit meer uitkomen. Wat had het allemaal nog voor zin? Odmund was dood.

Met een onverwacht krachtige arm hield Reinold haar overeind. Als een oud vrouwtje strompelde ze door de gangen, zwaar op hem leunend. De trap omhoog naar Odmunds vertrekken leek eindeloos lang. Het was alsof iedere stap zwaarder was dan de vorige.

‘We zijn er bijna,’ moedigde Reinold haar aan. ‘Wees sterk, voor Odmund. Hij zou niet willen dat je zo verdrietig was. Daar kon hij nooit tegen, als jij huilde.’

Door de herinnering aan Odmund die met zijn handen in zijn haren stond als zij in tranen was, moest ze alleen maar nog harder huilen.

‘Kom op,’ zei Reinold.

Ze wist dat hij het goed bedoelde, maar het klonk alsof hij vond dat het nu wel genoeg was. Ze rukte zich van hem los, stoof de trap op, gooide de deur van Odmunds vertrekken open, rende naar het slaapvertrek en viel op haar knieën voor zijn bed. Daar lag hij, met zijn ogen dicht, zijn armen over zijn borst gekruist, alsof hij een standbeeld was. Snikkend liet ze haar hoofd op zijn schouder vallen.

Een hand op haar arm. Steken in haar knieën en rug. Waar ben ik? Ze hief haar hoofd. Odmund was dood. Ze had zichzelf aan zijn bed in slaap gehuild.

'Gaat het, Ajala? Ik heb je een tijd alleen gelaten.'

Ze draaide haar hoofd en keek in het bezorgde gezicht van Reinold. 'De koning heeft me gevraagd om samen met jou Odmunds overgangsritueel voor te bereiden.'

Overgangsritueel? Odmund mocht niet overgaan, hij moest hier blijven.

'Ik weet zeker dat Odmund zou willen dat jij alles regelt. Je was als een dochter voor hem. En jij bent de enige die weet wat hij met zich mee wilde nemen.'

Zijn Kaarten en zijn Botten, schoot het door haar hoofd. Daarom hadden de Botten voor het oprapen gelegen, Mirmana wist dat ze die van Odmund niet langer kon gebruiken.

'Laat me alleen, alsjeblieft,' zei ze met een onvaste stem.

'Neem nog wat tijd. Maar realiseer je wel dat je afscheid moet nemen, Ajala. Als er iets is wat ik voor je kan doen...'

Nadat ze met haar hoofd had geschud, vertrok Reinold. Ze sloot de deur achter hem waardoor het slaapvertrek in schemerlicht werd gehuld. Nu leek het net alsof Odmund sliep en ieder moment wakker kon worden.

Ze trok de stoel die aan zijn voeteneind stond naar zich toe en ging vlak naast haar leermeester zitten. 'Odmund, ik heb je in de steek gelaten. Ik zal je nooit meer alleen laten, dat beloof ik.'

Alsof die belofte nu nog zin heeft, sprak een stemmetje in haar hoofd. Ze sloeg haar bevende handen voor haar ogen en huilde.

Hoe moest ze verder zonder Odmund? Ze kon hier niet blijven zitten. De tijd dat ze zich in haar bed kon verstoppen, was voorbij. Ze was geen kind meer, ze was vrouwe Ajala, de hofduider, met verantwoordelijkheden naar de koning en het volk.

Ze liet Odmund niet in de steek door zijn dode lichaam achter te laten. Ze zou hem juist in de steek laten door hem teleur te stellen.

'Odmund, ik moet mijn belofte aan je wijzigen. Ik beloof je dat ik je trots zal maken. Dat ik alles wat je me geleerd hebt, zal inzetten om koning Adelhart te dienen. Dat ik net zo'n goede hofduider zal worden als jij.' Ze stond op en drukte een kus op zijn voorhoofd.

Odmund kreeg een koninklijk overgangsritueel. Het koninklijke veld, waar normaal gesproken toernooien en feesten werden gehouden, was stampvol met genodigden. De aanwezige edelen hadden zich helemaal opgetut met kleurrijke kleding, kunstige kapsels en zwaar opgemaakte gezichten. Alsof het een feestje was!

Ajala wilde hen allemaal wegjagen. Het gekwebbel irriteerde haar. Konden de mensen niet een beetje respect opbrengen voor Odmund?

Hij lag als een koning opgebaard, in een zilveren gewaad, de allerhoogste eer. Om zijn baar wapperden vier vlaggen met het wapen van koning Adelhart.

Ajala had zelf Odmunds belangrijkste bezittingen naast hem neergelegd. Zijn Kaarten en zijn Botten. Lang had ze getwijfeld of ze ook zijn lenzenkijker aan hem mee zou geven. Hij was altijd gelukkig als hij door dat apparaat naar de hemel keek. Nu had hij die kijker niet meer nodig. Straks was hij bij Mirmana en kon hij met het blote oog de sterren bestuderen. Als ze meer tijd had, zou ze zich verdiepen in de sterrenhemel. Ze zou het raadsel van die gigantische Voorspeller voor Odmund oplossen.

Terwijl ze zijn spullen doorzocht, kwam ze erachter hoe weinig ze eigenlijk van hem wist. Ze kende hem als hofduider, als vriendelijke leermeester met zijn nukken en eigenaardigheden. Het voelde vreemd om in zijn persoonlijke spullen te snuffelen, alsof ze zich bemoeide met zaken die haar niets aangingen. Dat gevoel werd sterker toen ze een stapeltje verkreukelde brieven vond van een oude geliefde. Beschaamd had ze ze na de eerste regels weggelegd. Odmund was ooit verliefd geweest! Ze kon het zich niet voorstellen. Met een dikke klodder lak had ze het pakket brieven verzegeld en naast hem neergelegd. Ten slotte had ze de koning een karaf van zijn beste wijn gevraagd.

Drie mannen in koninklijk livrei bliezen de hoorn. Hoefgetrappel kondigde de komst van de koninklijke familie aan. Voorop reed koning Adelhart in een zilverkleurige mantel afgezet met hermelijnenbont. Zijn zilveren kroon glansde in het maanlicht. Daarachter reden de prins en de prinses, statig voor zich uitkijkend. De prinses had een verbeten trek om haar mond. Volgens Reinold was ze woedend op de koning en wilde ze niet als zijn speelpop opdraven voor het overgangsritueel. Toch was ze er. Ajala wist dat Odmund dat op prijs had gesteld. Hij had altijd met een glinstering in zijn ogen over haar baldadige gedrag gesproken.

De koninklijke familie steeg af en betrad het platform dat achter de baar was gebouwd. Het gekakel van de aanwezigen doofde abrupt, als een kaars die werd uitgeblazen.

'Beste aanwezigen, dank jullie voor jullie komst,' begon de koning zijn toespraak. 'Wij zijn hier om mijn trouwe hofduider Odmund te begeleiden in zijn overgangsritueel. Hij is niet langer bij ons, maar hij zal ons nooit verlaten. Odmund zal niet vergeten worden, hij heeft zo veel betekend voor dit koninkrijk.'

Ajala hoopte dat de koning geen al te lange toespraak zou houden. Al die mensen die aanwezig waren en Odmund amper kenden, wat deden ze hier? Ze wist zeker dat Odmund liever in het bos een besloten ritueel had gehad dan hier, op het koninklijke veld met al die mensen erbij.

Koning Adelhart nodigde de aanwezigen uit om afscheid te nemen van Odmund. Samen met Reinold sloot ze aan in de rij.

'Ga maar,' fluisterde Reinold toen ze voor de trap stonden die naar de baar leidde. 'Ik houd de rest wel even op. Neem rustig de tijd.'

Ajala kreeg tranen in haar ogen. Wat lief van Reinold.

In een glazen schaal lag een zilveren mes. Met trillende handen pakte ze het mes en sneed een flinke pluk van haar haar af om aan Odmund mee te geven. Ze legde het mes terug in de schaal en liep de houten trap op die haar bij Odmund zou brengen. Haar benen voelden loodzwaar.

Ze knielde naast Odmund neer en omklemde haar hanger. Mirmana geef mij kracht. Terwijl ze de pluk haar naast hem neerlegde, zei ze: 'Odmund, wat zal ik je missen. Ik zal je nooit vergeten, dat weet je. Je hebt zo veel voor me gedaan, me alles gegeven wat ik heb, me gemaakt tot de vrouw die ik nu ben. Mijn belofte staat. Ik ga je trots maken. Dank je wel voor alles, lieve Odmund. Dank je wel.'

Vluchtig raakte ze hem aan. Voor de laatste keer. Huilend strompelde ze een tweede trap af, waar ze steun zocht tegen de houten balken. Het was voorbij. Zo meteen zouden de vlammen Odmund meenemen naar Mirmana.

Reinold kwam de trap af en begeleidde haar terug naar hun plaatsen waar ze een hele stoet mensen voorbij zag trekken. De afscheidswoorden van de koning drongen niet tot haar door. In een waas zag ze hoe de koning Odmund eerde door hem een persoonlijk geschenk mee te geven. Toen koning Adelhart de baar aanstak, ontwaakte ze uit haar verdoofde toestand. Het vuur knetterde zo hard, dat het leek alsof het in haar hoofd brandde. Hongerige vlammen verzwolgen het lichaam van haar leermeester. Ze leken rond hem te dansen, alsof ze op een bal waren. Hoger en hoger rezen de vlammen, tot ze bijna tot in de hemel reikten. 'Dag Odmund,' fluisterde ze terwijl ze naar de nachtelijke hemel tuurde.

Ze moest zichzelf dwingen om op te staan. Ze vocht tegen de neiging om zich te verstoppen onder de dekens. Ik heb Odmund een belofte gedaan, sprak ze zichzelf streng toe. Er is nog zo veel te doen en nog maar acht dagen tot het koninkrijk verzwolgen zal worden door de vuurvlam...

Voor ze aan de slag kon, moest ze het laatste Bot vinden. Het was het Bot dat ze liever niet tegenkwam in leggingen: het zwarte Okeshbot. Of ze het nu leuk vond of niet, ze moest het hebben, anders kon ze geen duiding doen. Dus vertrok ze naar het bos.

De okesh was een aaseter, een grote vogel met een scherpe snavel die zijn nest in de allerhoogste toppen van de bomen maakte. Moest ze op zoek naar een nest? Nee, dat was niet de manier. De Botten moesten naar haar toe komen, zich aan haar willen geven. Ze moest contact maken met het kwaad waar het Bot voor stond, om het te kunnen vinden. Maar ze wilde helemaal niets met het kwaad te maken hebben!

Hoe zou Odmund aan zijn Okeshbot gekomen zijn? Hij had er nooit over verteld. Het lege gevoel in haar maag verspreidde zich door haar lichaam. Zou er een tijd komen dat ze hem niet meer zou missen?

Na een tijd door het bos te hebben gedwaald, vond ze een holle hirkiboom. Dat was precies wat ze nodig had, een duistere, krappe ruimte. Ze wurmde haar schouders door de opening en ging half dubbelgevouwen in de holte van de boom zitten. Het was donker en benauwd binnen. De vochtige geur van rottend hout benam haar de adem. Ze sloot haar ogen en bande alle gedachten naar de achtergrond. Donker, duister, kwaadaardigheid. Woede, onmacht, haat. Ze probeerde die gevoelens bij zich op te roepen, stelde zich voor dat zij de gemaskerde man was. Als iemand verbonden was met het kwaad...

Ik haat de koning, dacht ze. Ik haat hem. Ze wrong haar handen ineen, alsof ze het leven uit hem kon wringen.

Plotseling werd er aan haar geest getrokken. Ze verzette zich niet, maar liet het gebeuren. Haar geest verliet haar lichaam, flitste door het bos naar het kasteel. Heel even werd alles zwart. Toen zat ze in een lichaam dat door de gangen van het kasteel liep.

De marmeren plavuizen klonken hol onder zijn voeten. Het bloed raasde door zijn lijf, alsof het een wilde rivier was. Hij wilde maar één ding: die meesmuilende grijns van Adelharts kop slaan. Het zal niet lang meer duren, dacht hij, zijn dagen zijn geteld. Na vijftien lange jaren was zijn wraak gerijpt tot een onhoudbare nachtmerrie voor Adelhart. Alles zou hij hem afnemen. Als dat kleine serpent hem tenminste geen streken zou leveren. Ze was veel te slim voor haar leeftijd. Waarom had hij Ajala niet gedood?

Haar geest glipte weg en vond haar eigen lichaam terug. Ajala vluchtte de hirkiboom uit. Gierend haalde ze adem. 'Goede Mirmana,' fluisterde ze. De haat die ze gevoeld had, was onbeschrijflijk. Ik heb in de geest van de verrader gezeten, besefte ze. Het waren zijn gedachten en gevoelens.

Iedere vezel van die man leek te kloppen van woede. Alsof er een woest beest in hem zat dat ieder moment kon ontsnappen en koning Adelhart naar zijn keel zou vliegen.

Ze huiverde. Had hij haar willen doden?

Verdwaasd liep ze weg. Het had zo'n goed plan geleken: maak contact met het kwaad om Okesh te vinden. Het voelde alsof het duister bij haar naar binnen was gekropen en ze was bang dat ze dit akelige gevoel nooit meer kwijt zou raken. Wat was ze stom geweest!

Ze voelde zich vies. Een bad, dat zou helpen. Rechts van haar hoorde ze zacht het geluid van stromend water. Ze ging eropaf en kwam bij de Imkar. Aan de oever gooide ze haar kleren uit en dook het verfrissende water in. Vanuit het water plukte ze wat pollen gras van de kant. Daarmee waste ze haar hele lichaam.

Ze dook onder, haalde haar vingers door haar haren en over haar hoofdhuid. Wat was dat? Ze kwam weer boven, nam een flinke teug lucht en dook weer onder. Op de bodem van de rivier lag een vreemde vorm tussen de ronde kiezels. Okesh! Ze greep het vast en zwom naar het oppervlak. In het licht van de zon bekeek ze haar vondst. Een zwart, grillig Bot.

Ze klom op de oever en schudde de waterdruppels van zich af. Met de zoom van haar jurk droogde ze haar nieuwe aanwinst af en borg hem op in het zakje bij haar andere Botten, dat ze als een schat altijd bij zich droeg. Ze had al haar Botten. Nu was ze een volwaardig duider.

Wat duurden de dagen lang nu het bijna zover was! Nog acht dagen. Dan zou de Deemster Vorst neerdalen in het lichaam van de jongen en Adelharts zielige leven verpulveren. Als dat kleine serpent geen rare streken zou uithalen. Hij zou niet weten wat ze nog kon doen, alles was in gang gezet, maar toch zinde het hem niet dat hij geen vat meer op haar had. Met Odmund waren ook de hem dienende Botten verbrand.

Na het overgangsritueel had hij haar een droom proberen te sturen. Maar haar geest was onbereikbaar voor hem, afgesloten als de cellen in de kerkers. Alsof Mirmana haar beschermde.

Hij zag haar vanuit zijn raam het kasteel verlaten. Dit was zijn kans! Hij knielde neer voor zijn kist en zocht het zwarte poeder. Nu was hij blij dat hij een dubbele hoeveelheid had gemaakt.

Met het poeder vertrok hij naar de torenkamer. Direct liep hij naar de kast waar hij de Botten verwachtte. Niets. Waar had dat kleine serpent die dingen gelaten? Hij zocht tussen de paperassen die er lagen, tilde boeken op om te kijken of ze er iets achter verstopt had. Er lagen allerlei werpdoeken, maar daar kon hij niets mee. In een andere kast vond hij verschillende zakjes. Stenen, Dobbels, Houtjes, Kaarten, Munten, van alles waarmee je kon gooien. Maar geen Botten!

Zou ze ze in haar eigen vertrek bewaren? Dat moest wel. Hoe was het toch mogelijk dat ze hem telkens zo dwars zat? Bij haar privévertrek kon hij niet ongemerkt komen. Het zou te veel opvallen als hij zich in het bediendenkwartier zou begeven. Nee, dat risico was te groot. Het werd tijd dat het kleine serpent verhuisde. Ze was toch de hofduider? Dan was het ongepast dat ze in een klein kamertje tussen het onbeduidende personeel woonde. In haar functie behoorde ze in de toren te wonen.

Hij glimlachte. Hij zou zijn idee bij de juiste personen laten vallen. Het zou vast niet lang duren tot ze verhuisd zou zijn. En dan was ze onbeschermd. Alleen in de toren...

HOOFDSTUK XIV

Miron was uitgeput. Ze waren al twee dagen met de gevangenen onderweg naar het kasteel van de koning waardoor ze continu op hun hoede moesten zijn. Naast die spanning was er de onzekerheid. De hertog had nog steeds niets gezegd. Hij besteedde totaal geen aandacht aan Miron of zijn zoon. Lanzo reed alleen, een eind achter zijn vader. De hertogszoon deed alsof Miron niet bestond.

Ook Darak sprak nergens over. Ze behandelden samen de gewonden en als er tijd was, kreeg hij les van de heelmeester. Miron durfde niet te vragen of Darak wist wat de hertog van de vechtpartij vond.

Nadat hij de tent voor Lanzo had opgezet en zijn plekje in de tent van Darak had klaargemaakt, kwam Denno naar hem toe. 'De hertog wil je spreken.'

Met slappe benen liep Miron naar de tent van de hertog. Hoe zou het oordeel van de hertog luiden? Voor de tent rechtte hij zijn schouders. Wat de hertog ook zou vinden en beslissen, hij zou het accepteren. Als hij durfde, zou hij zeggen dat hij Lanzo niet had mogen aanvallen, maar dat Lanzo nooit het kamp had mogen verlaten. De hertogszoon verdiende net zo goed straf.

De olielampen waren aangestoken waardoor de tent in een zachtgeel licht baadde. De hertog zat achter een tafel. Voor hem zat Lanzo met zijn hand op het tafelblad te trommelen.

'Daar ben je dan,' groette de hertog hem. Met een handgebaar gaf hij aan dat Miron naast Lanzo moest gaan zitten. Miron wierp een blik op de hertogszoon. Zijn huid was bleek en zijn ogen lagen diep in de kassen. Zou Lanzo ook slecht slapen?

‘Het wordt tijd dat wij een goed gesprek hebben,’ zei de hertog.

Miron knikte terwijl hij zich schrap zette, alsof er stokslagen uitgedeeld zouden worden.

‘Ik wil graag jouw versie van het verhaal horen.’

Lanzo hield op met trommelen en zette grote ogen op.

Miron voelde zijn wangen kleuren. Dit was zijn kans. ‘Hertog Bauenold, ik ben fout geweest. Ik had Lanzo nooit mogen slaan.’

‘Inderdaad,’ zei Lanzo afgemeten. De hertog maande hem met een ijzige blik tot stilte.

Miron deed alsof hij de onderbreking niet gehoord had. ‘Het spijt me, maar ik was wanhopig. Lanzo wilde het kamp verlaten, tegen uw orders in. Ik probeerde hem alleen tegen te houden. Ik was bang dat hem iets zou overkomen. Maar ik ben zijn page, ik moet doen wat hij zegt.’

De hertog had met een onbewogen gezicht geluisterd. ‘Dat is duidelijk en eerlijk,’ zei hij. ‘Ik heb er weinig aan toe te voegen. Natuurlijk keur ik het niet goed dat je mijn zoon hebt aangevallen, maar je had er redenen genoeg voor.’ Hij keek zijn zoon aan met een blik waar de meest geharde soldaat knikkende knieën van zou krijgen. Lanzo ontweek zijn vaders blik en keek stuurs naar zijn schoot.

‘Je hebt er goed aan gedaan om Lanzo tegen te spreken. Dat was dapper en verstandig.’

Miron ging rechtop zitten.

‘Jullie hebben mij in een lastige positie gebracht. Ik moet jou straffen voor het vechten met mijn zoon. Mijn zoon moet gestraft worden voor het verbreken van zijn belofte, het ingaan tegen directe orders en het moedwillig in gevaar brengen van zichzelf en onze missie.’ Lanzo leek te krimpen door de woorden van de hertog.

‘Lanzo wil niets meer met jou te maken hebben. Daarom heb ik besloten je te ontslaan als page.’

Miron liet zijn schouders hangen. Het was een milde straf, maar tegelijkertijd de ergste die hij kon krijgen.

'Als we in het kasteel zijn, zal ik een plek als leerlingheelmeester voor je zoeken. Darak wil je graag opleiden, maar misschien trekt het soldatenleven je niet. Daar mag je over nadenken. Of het nu tussen de soldaten, in het kasteel van de koning of ergens in mijn hertogdom is, ik zal ervoor zorgen dat je bij een goede leermeester terecht komt.'

Miron veerde op. Mocht hij leren voor heelmeester? Werd hij niet verstoten of verbannen of geslagen?

De hertog glimlachte naar hem. 'Ik zie dat je verbaasd bent. Je hebt juist gehandeld, jongen. Je hebt aan de veiligheid van iedereen gedacht in plaats van aan je eigen plezier.'

'Hij was gewoon te laf!' zei Lanzo. Zijn ogen leken vuur te spuwen.

'Zwijg,' beet zijn vader hem toe. 'Wij spreken elkaar straks.' De hertog verlegde en verzachtte zijn blik. 'Miron, je kunt gaan. Denk na over Daraks aanbod.'

Werd hij beloond in plaats van gestraft? Als er geen rugleuning aan de stoel had gezeten, was hij er vast van afgevallen. 'Dank u wel, hertog Bauenold. U bent te goed voor mij.'

'Je bent een goede knaap. Al die jaren heb je je enthousiast ingezet voor mijn zoon. Ik vind het jammer dat je niet langer tot mijn huishouden behoort.'

De hertog sprak als een vader tegen hem. 'Dank u,' fluisterde hij.

Hertog Bauenold lachte vriendelijk. 'Het is goed, jongen. Wij zijn klaar.'

Miron gleed van zijn stoel, pakte de hand van de hertog en schudde die stevig. Na een laatste blik op Lanzo, die nog steeds koppig naar beneden keek, verliet hij de tent, gelukkig als een kind dat onverwacht een cadeau van zijn vader had gekregen.

Vurige vlammen stroomden om hem heen, dansten op zijn armen en benen, kusten zijn gezicht. Hij was niet bang, de vlammen en hij hoorden bij elkaar. Het leek alsof hij de bewegingen van de vlammen met zijn gedachten kon sturen. Rond en rond gingen ze en vormden een spiraal waar hij het middelpunt van was.

'Jij bent het,' fluisterden de vlammen. 'Jij bent speciaal.'

Niet de vlammen, maar de woorden verwarmden hem. Ben ik echt speciaal? Iemand die ertoe doet, die bijzonder is?

'Jij bent speciaal.'

Zijn wangen gloeiden. 'Ik ben speciaal,' fluisterde hij.

'Miron, word wakker.'

'Hmmm?' Hij knipperde met zijn ogen en keek in het gezicht van Darak.

'Ik weet niet wat je allemaal aan het dromen was, maar ik kon meegenieten,' zei Darak met een knipoog.

Nu gloeiden zijn wangen echt. 'Neem me niet kwalijk,' mompelde hij.

'Geeft niets, ga maar weer slapen.' Darak keerde terug naar zijn bedrol.

Miron sloot zijn ogen. Ondanks dat hij wakker was, dansten de vlammen voor zijn gesloten oogleden.

Het kasteel van koning Adelhart! Mirons hart maakte een sprong van vreugde.

De wachters knikten de strijdgroep van de hertog vriendelijk toe. Blijkbaar waren ze al op de hoogte van hun komst. Nieuws reist sneller dan paarden, dacht Miron.

De gracht stonk heerlijk vertrouwd naar uitwerpselen. Met de hele groep reden ze over de ophaalbrug, de gevangenen omringd door de soldaten van de hertog. De hertog ging verslag doen aan de koning en met hem overleggen wat ze met de gevangenen zouden doen. Miron hoopte niet dat zij hetzelfde lot zouden ondergaan als Walbert. Op de terugreis had hij begrepen dat de hertog Walbert ooit had beloofd dat hij hem mocht vervangen bij afwezigheid en zo de rechterhand van de hertog zou worden. Uiteindelijk kreeg iemand anders die positie en Walbert had groen van jaloezie het hertogdom verlaten. Een jaar later klopte Walberts vrouw bij de hertog aan voor onderdak. Ze had haar man verlaten. Daarna hoorden ze nooit meer iets van hem.

Miron begreep niet waar de intense haat van Walbert voor de hertog vandaan kwam dat hij het hele hertogdom wilde vergiftigen, al had hij tijdens deze reis ondervonden dat er soms weinig nodig was om vriendschap in haat te veranderen.

Sinds het gesprek met de hertog was Lanzo nog norser geworden. Darak had verteld dat Lanzo een jaar lang geen nieuwe page zou krijgen. Dan zou hij leren waarderen wat anderen voor hem deden, hoopte de hertog. Miron had medelijden met Lanzo. Ondanks dat hij van zijn taken als page ontheven was, had hij nog steeds voor Lanzo's tent en spullen gezorgd. Vanavond zou het echt stoppen. Dan moest de hertogszoon voor zichzelf gaan zorgen.

Miron wilde graag een plek in het bediendenkwartier zodat hij daar kon wachten op de beloofde leerplek. Tijdens de terugreis had hij besloten dat hij niet bij Darak in de leer zou gaan. Het soldatenleven was niets voor hem. Miron wilde een leerplek bij de heelmeesters van het kasteel. Misschien werd hij later wel verantwoordelijk voor de gezondheid van de koninklijke familie. Dan kon hij speciaal zijn, zoals de droom had beloofd.

Op het binnenplein snoof hij de zoete geur van thuis op. Een loom gevoel overviel hem. Vóór de missie wilde hij niets liever dan weg uit het kasteel, reizen en avonturen beleven. Nu wist hij beter. Hij had zich als een boom zonder wortels gevoeld tijdens de missie.

Vlak voor hem overhandigde een jongeman die hij niet kende de teugels aan een staljongen. 'Ik heb het teken, waar moet ik heen?'

De staljongen trok een ongelovig gezicht. 'Meld je binnen bij Ranika, eerste gang links, tweede kamer,' zei hij ongeïnteresseerd.

Waar ging dat over? Miron sprong van zijn paard en liep naar de staljongen. Terwijl hij hem de teugels overhandigde, vroeg hij: 'Die jongen van net, die zei dat hij het teken had, waar ging dat over?'

De staljongen, een ventje van een jaar of twaalf met wilde krullen, keek hem met grote ogen aan. 'Waar heb jij gezeten?' flapte hij eruit. 'Weet je dat dan niet?'

'Nee, dus vertel het me maar gauw.'

'Weet je wel dat oude hofduider dood is?'

Odmund dood? Miron kende de oude man niet goed, maar toch kwam het als een schok. De hofduider hoorde net zo bij het kasteel als de torens.

'Nou, die is dus dood, maar voor zijn dood heeft hij nog een voorspelling gedaan. Dat prinses Amitha zich op haar vijftiende verjaardag, over zes dagen dus, zal verloven.'

'Wat?' De prinses? Ze is toch veel te jong om te trouwen!

'Dat is niet alles,' zei de jongen met een twinkeling in zijn ogen. 'Ze gaat niet met een prins of hertog trouwen, maar met iemand die het teken heeft.'

Miron kreeg een hol gevoel in zijn maag. 'Het teken?'

'Ja, het teken. Het hele koninkrijk wordt afgezocht naar iemand met een vierpuntige kroon op zijn lichaam.'

Miron dacht dat de aarde onder hem weg gleed. Met moeite hield hij zich staande. Een vierpuntige kroon... De plek op zijn been prikte. 'Jij bent het,' klonk de stem in zijn hoofd en het werd wazig voor zijn ogen.

'Gaat het wel goed? Je ziet zo wit ineens,' zei de staljongen.

Een forse man kwam op hen afgelopen. 'Wordt er hier gekletst of gewerkt?' vroeg hij met een barse stem. De staljongen kromp ineen, draaide zich zonder een woord om en vertrok met Mirons paard.

Miron wankelde weg en zocht met zijn rug steun tegen een muur. Was het waar? Zochten ze iemand met een teken zoals het zijne? Zou hij met de prinses trouwen? Miron de page. Nee, herinnerde hij zichzelf, hij was geen page meer. Hij zou een groot heelmeester worden. Maar trouwen met de prinses? Daar durfde hij niet eens van te dromen, al had hij dat soms stiekem wel gedaan.

Hij liep het kasteel in en meldde zich bij het hoofd van het huishouden. Eerst zou hij uitzoeken wat er aan de hand was. Er was nog genoeg tijd om zich te melden in de *eerste gang links, tweede kamer*.

De vlammen dansten. Vanachter de vlammen kwam een figuur tevoorschijn. Een stralend gezicht met een brede glimlach. Lange, donkere haren die meedansten met de vlammen. Tengere, rechte schouders onder een halfdoorschijnende jurk.

In zijn hand hield Miron een zilveren sieraad. Een gevlochten kabel waaraan het symbool van Mirmana hing. De glinsterende volle maan was ingelegd met tientallen saffiertjes, glimmende edelstenen die precies dezelfde kleur hadden als haar ogen. Voorzichtig hing hij de ketting om haar hals. Met zijn vingertoppen raakte hij zacht haar huid aan.

Prinses Amitha legde haar hand op de zijne. 'Jij bent het.'

Met een gelukzalige zucht opende Miron zijn ogen. Het duurde even voordat hij wist waar hij was. Hij lag, samen met drie andere bedienden, in een kamertje in het bediendenkwartier. Nadat hij zich gemeld had bij het hoofd huishouding was hij aangewezen om de koning en zijn gasten tijdens het eten van al hun wensen te voorzien. Tijdens het bedienen ving Miron op dat er iedere dag meer jongens met het teken kwamen. Bedriegers. Jongens die met kool het teken op hun lichaam aangebracht hadden, of erger. Iemand had het teken in zijn arm gekerfd met een mes. Ook hoorde hij dat prinses Amitha woedend was op haar vader en zich niet meer in het openbaar vertoonde.

Miron sloeg zijn deken van zich af. Zijn voeten raakten de koude grond toen hij uit bed stapte. Hij had al die tijd getwijfeld en had de stap naar Ranika niet durven zetten. Hij kon onmogelijk degene zijn die met de prinses zou trouwen. Maar die droom... Prinses Amitha had zelf gezegd dat hij het was. Had zij al die tijd tot hem gesproken?

'Jij bent het, jij bent speciaal,' klonk het weer in zijn hoofd. Het waren zoete woorden die hem vleugels leken te geven. Hij grabbelde zijn nieuwe groenwitte bediendenlivrei bij elkaar en ging zich wassen.

Voordat Ranika aan kwam gelopen, stond hij al voor de deur van haar werkkamer. Ranika was een oudere vrouw. Ze had haar haren in een strakke knot bijeengebonden. Door de lijntjes rondom haar mond zag ze eruit als een strenge leermeesteres.

'Jij hebt het teken?' vroeg ze terwijl ze de deur van haar kamer opende. Er klonk een licht spottende ondertoon in haar verder zachte stem.

'Ja, mevrouw,' zei hij.

'Kom maar mee, dan zal ik even kijken.' Ze leunde tegen de tafel die in het midden van het kleine vertrek stond, gebaarde hem dat hij de deur moest sluiten en zei: 'Laat maar zien.'

Met trillende vingers stroopte hij zijn broek op en schopte zijn schoen uit.

Ranika kwam dichter bij, hurkte voor hem en keek met haar

ogen tot spleetjes geknepen naar de vlek op zijn enkel. 'Dat ziet er overtuigend uit,' zei ze.

Meende ze dat of nam ze hem in de maling?

'Mag ik even voelen?' Ze legde haar vinger op het teken. Eerst wreef ze er zacht over heen, daarna harder. Ze likte aan haar vinger en wreef nogmaals. 'Hij lijkt echt. Heb je dit teken zelf aangebracht?' vroeg ze.

'Nee, mevrouw, het was er ineens.'

Ze kroop met haar neus haast tegen zijn been aan en leek ieder haartje op zijn enkel te onderzoeken. Nogmaals wreef ze. Daarna stond ze op. 'Je hebt de eerste test doorstaan. Van mij mag je door naar de hofduider. Zij zal bepalen of je daadwerkelijk degene bent die we zoeken.'

Miron lachte. Hij had de eerste test doorstaan!

Hij zweefde door zijn vertrek. Sinds de jongen veilig terug was, was de glimlach niet meer van zijn gezicht af geweest. Zelfs de schijnheilige tronie van Adelhart kon zijn humeur niet verpesten. Alles liep precies volgens plan.

Behalve dan dat de page zich nog niet gemeld had bij Ajala. Het kleine serpent klaagde al dagen dat ze al die jongens moest keuren op het teken. Op haar verzoek had Reinold Ranika aangesteld als eerste keurmeester. Dat er zo veel jongens op de oproep afkwamen, had niemand verwacht.

Hem interesseerde het niet. Zolang Ajala het teken dat hij geplant had op de page maar herkende als het juiste. Anders zou hij ervoor zorgen dat ze dat deed.

Die nacht had hij de page een droom gestuurd. Als hij zich nu nog niet zou melden bij Ranika... Welke knaap wilde niet met de prinses trouwen? Wie wilde er niet speciaal zijn?

Het zou niet lang meer duren. Ajala zou de page aanwijzen en Adelhart zou zich veilig voelen. Hij grinnikte. Nog vijf dagen. De hoogste tijd voor de laatste zet.

Hij kleedde zich om en plaatste de negen rituele kaarsen op de grond. Via de kaars van de Oorsprong maakte hij contact met de ontsnapte soldaat van Walbert. De man ademde en bewoog nog steeds, al was daar ook alles mee gezegd. Meer dood dan levend zat hij op zijn paard dat voortsjokte. Met elke beweging wankelde zijn bovenlichaam, alsof hij ieder moment uit het zadel kon vallen. In de verte klonk geruis. Eindelijk, de Akeli!

'Heer van de Schemering, help mij. Geef mij uw kracht om dit lichaam nog een laatste krachtsinspanning te laten leveren.' Hij pompte het zwarte vuur van zijn Heer door het getergde lichaam. Het hart van de man ging sneller kloppen. Hij hief moeizaam zijn hoofd en spoorde zijn paard aan. Aan de oever van de Akeli liet hij zich uit het zadel vallen. Met een smak kwam de soldaat op de grond terecht waar hij duizelig bleef liggen.

zwakkeling,' mompelde hij en verstevigde zijn greep op het lichaam van de soldaat. Hij sleurde het omhoog. De man strompelde naar de kleine kar die het paard het hele eind meegezeuld had. In de kar lag een houten ton. Met twee armen omklemde de soldaat de ton en kreunend en steunend tilde hij hem uit de kar. De ton glipte uit zijn handen en knalde op de grond. Het hout kraakte.

'Stomme lummel,' vervloekte hij de man, die geen weet had van zijn ergernis. De soldaat rolde de ton die de Deemster Vorst zij dank nog heel was, naar de rivier. Daar sneed hij de touwen door waarmee het deksel vastzat.

'Heer van de Schemering, geef mij toegang tot zijn spraakvermogen.' Hij drong diep door tot in het lichaam van de soldaat. Hij voelde iedere wond, alle pijnen en zelfs de doodswens van de man. Het lichaam stond op het punt om het te begeven. Nog heel even, moedigde hij het lichaam aan.

De man gooide de ton leeg in de Akeli. Het groenbruine gif vermengde zich met het stromende water. Hij bewoog de kaken, de tong en de lippen van de soldaat. 'Ik vergiftig dit water in naam van de Deemster Vorst.' Zijn stem klonk raspend, maar de woorden waren toch goed verstaanbaar. 'Iedere dode die mijn daad tot gevolg heeft, behoort de Deemster Vorst toe. Laten de doden hem sterken en zijn terugkeer bespoedigen! Heer van de Schemering, aanvaard dit offer. Deze doden zijn voor u.' De man viel achterover, zijn bovenlichaam in het zand, zijn benen in de rivier.

Hij ontworstelde zichzelf uit het stervende lichaam. De soldaat had zijn taak volbracht. Nu was hij voer voor de wormen. Of de vissen.

Hij knikte tevreden. Niets of niemand kon de terugkeer van de Deemster Vorst nog stoppen. Zijn wraak was nabij.

HOOFDSTUK XV

Ajala zuchtte. Sinds het overgangsritueel van Odmund voelde ze zich meer stalmeester dan hofduider. De ene na de andere jongen meldde zich met het zogenaamde teken. Ze keurde hen alsof het paarden waren. Vaak had ze aan één blik al genoeg. Bedriegers waren het, allemaal. Aan de ene kant was ze blij dat ze nog niemand ter dood had hoeven veroordelen. Aan de andere kant wist ze ook dat als ze de jongen niet binnen vijf dagen zou vinden, het koninkrijk verwoest zou worden door de vuurvlam.

Ze liep van haar slaapvertrek naar het woonvertrek. Het was nog steeds wennen dat ze in de vertrekken van Odmund woonde. Hoe de koning erbij was gekomen, was haar een raadsel. Twee dagen na het overgangsritueel van Odmund had hij haar meegedeeld dat zij niet langer in het bediendenkwartier zou verblijven. De hofduider hoorde in de toren te wonen. Al haar protesten waren opzij geschoven.

Ze keek door de lenzenkijker naar buiten. De vuurvlam kwam steeds dichter bij. Zelfs zonder lenzenkijker was hij duidelijk zichtbaar. Ook overdag! De mensen zouden ongerust zijn en vragen stellen. Ze verliet haar vertrekken om met Reinold te overleggen.

Op de trap kwam ze Miron tegen. Ze had hem gisteren tijdens het diner zien rondlopen in een bediendenlivrei, maar had nog geen tijd gehad om hem te vragen waarom hij geen page meer was. Tijdens het diner had de hertog verteld dat de bende gevangen was genomen. Het gevaar had in het water gezeten, zoals ze voorspeld had. Gelukkig was de vijand uitgeschakeld en het gevaar geweken.

'Ajala, vrouwe Ajala bedoel ik, kan ik je even spreken?' vroeg Miron. Hij zag er goed uit. Zijn rode piekhaar stak vrolijk af bij het groen van zijn livrei, de zon had de sproetjes op zijn wangen donkerder gekleurd en zijn huid een lichtbruine teint gegeven.

'Geen vrouwe Ajala, hè. Gewoon Ajala, alsjeblieft. En natuurlijk kun je me spreken. Vind je het goed dat ik eerst een ontbijt in de keuken ga halen?'

'Dat doe ik wel voor je.'

'Ik kan heel goed zelf lopen,' zei ze met een glimlach.

'Ik doe het graag. Dan kom ik zo naar je werkkamer, goed?'

Nadat ze had geknikt, stoof hij de trap af. Ajala ging in tegenovergestelde richting en wachtte in de werkkamer totdat Miron met een dienblad vol brood, fruit, pap, kaas, marmelade en een kan verse melk terugkwam. Ze nodigde hem uit te gaan zitten en vroeg: 'Heb jij al gegeten?' Hij knikte.

De geur van het versgebakken brood was onweerstaanbaar, ze nam een grote hap. Met volle mond vroeg ze: 'Waarover wil je me spreken?'

Miron ontweek haar blik. Hij bestudeerde zijn handen.

'Zeg het maar,' moedigde ze hem aan. 'Ik bijt niet.'

Heel even keek hij in haar ogen, daarna draaide hij zijn hoofd dat rood aangelopen was weg. 'Je zult het waarschijnlijk niet geloven, maar ik mocht van Ranika naar je toe.' Hij frommelde in zijn broeksband en haalde er een papier uit met het zegel van Ranika erop.

Miron een gelukszoeker? Ajala geloofde het inderdaad niet.

'Ik heb het teken,' zei hij.

Ze kreeg een ongemakkelijk gevoel. 'Laat maar zien, dan,' zei ze.

Hij stroopte zijn broek op en trapte zijn schoen uit. Ajala knielde en keek met grote ogen naar de vierpuntige kroon op zijn enkel. Goede Mirmana, dacht ze. Het was precies zoals ze gezien had in het Water. Het was dé vlek.

Het is Miron! Mirmana, wat moet ik doen? Niets laten merken, dacht ze. Ze gebaarde hem dat hij zijn broek weer mocht afrollen en ging zitten. Arme Miron, hij denkt dat hij gaat trouwen met de prinses terwijl hij net zijn doodvonnis heeft getekend. 'Hoe lang heb je dit teken al?'

Hij keek haar van onder zijn wimpers onderzoekend aan.

'De waarheid, Miron. Dit is van het grootste belang.' Zou hij het teken zelf hebben aangebracht? Zoals de andere jongens? Gisteren had ze een jongen gezien die het teken in zijn zij had gebrand. Het leek wel alsof ze steeds verder gingen. Maar ze wist dat Miron dit niet zelf had gedaan. Alles in haar zei dat hij degene was. Tegelijkertijd hoopte ze dat ze zich vergiste. Als ze iemand niet tot de dood wilde vooroordelen, was het Miron wel.

'De waarheid is vreemd, Ajala. Tijdens de missie in de bergen kreeg ik rare dromen. Dromen vol vurige vlammen die uit de hemel kwamen en om mij heen dansten.'

Ajala hield haar adem in. De Droom. Ze had precies hetzelfde gezien.

'In de meeste dromen was het vuur niet gevaarlijk voor mij. Ik leek er mee te kunnen spelen. Maar één droom was anders. Toen kwam het vuur op me af, voelde ik de hitte branden en toen het mij verzwolg, werd ik gillend wakker. Met het teken op mijn been.' Hij keek haar vragend aan.

Ze wilde hem geruststellen, wilde zeggen dat ze hem geloofde. Maar dan was er geen weg meer terug. Wat moest ze in Mirmana's naam doen? Miron moest sterven om de vuurvlam tegen te houden en het koninkrijk te redden.

'Ik heb er met niemand over gesproken,' ging hij verder. 'Ik dacht dat ik gek geworden was, dat ik me dingen inbeeldde al brandde het teken echt in mijn been. De dromen bleven komen. Ik wist niet wat ze betekenden. Totdat we terugkwamen en ik het verhaal van Odmunds voorspelling hoorde. Je zult hem wel missen.'

Met moeite glimlachte ze. 'Ik mis hem enorm.' Lief van hem dat hij daaraan dacht. Hoe kon ze hem aanwijzen? 'Ik geloof je. Op dit moment kan ik je niet zeggen wat het allemaal betekent. Ik moet hierover nadenken en de Voorspellers raadplegen. Zeg niets tegen iemand anders. Als ik meer weet, laat ik je halen.'

'Dank je wel dat je me gelooft, Ajala.' Hij klonk opgelucht.

'De tijd dringt, Ajala. De vuurvlam is met het blote oog zichtbaar. Heb je de jongen nog niet gevonden?' Reinold keek haar doordringend aan.

Nu mocht ze niets verraden. Ze wilde eerst nadenken, kijken of er andere mogelijkheden waren. 'Daarom wilde ik je spreken. De mensen zullen bang worden van het teken aan de hemel. Moeten we er geen mededeling over doen? Straks zullen de meest vreselijke verhalen de ronde doen.'

Hij klopte op haar hand. 'Steeds weer doe je me versteld staan. Je bent geboren voor deze taak, Ajala. Odmund heeft niets te veel gezegd, je bent een waardige opvolger.'

Iedere keer dat iemand de naam van haar leermeester noemde, kreeg ze een wee gevoel in haar maag. Wat miste ze hem. Maar ze had geen tijd om zich daaraan over te geven. 'Ik denk dat we het beste kunnen zeggen dat het een teken van Mirmana is om de verloving van de prinses te vieren. Denk je dat de mensen dat zullen geloven?'

'Mensen geloven graag in geruststellende berichten. Als we zeggen dat jij dit in een Droom hebt gezien, zal niemand twijfelen.'

Waarschijnlijk had Reinold gelijk. Toch zinde het haar niet. 'We hebben een probleem als het ons lukt om het onheil af te wenden. Dan zullen de mensen een verloving verwachten. Met die vuurvlam aan de hemel kunnen we niet meer zeggen dat Odmund het allemaal verkeerd heeft gezien. De mensen verwachten dat er over vijf dagen iets gebeurt.'

Reinold kneep zijn lippen tot dunne streepjes terwijl hij nadacht. 'Je hebt gelijk. De vorige keer hebben we gezegd dat de vuurvlam een aankondiging was van de geboorte van prinses Amitha. Dus er zal ook nu een belangrijke gebeurtenis moeten plaatsvinden. Misschien moet de prinses zich daadwerkelijk verloven.'

'Wat?' vroeg Ajala.

'Daar zijn allang plannen voor gemaakt. Er zijn drie kandidaten. Ik ga dit meteen met de koning overleggen.'

Ajala schudde haar hoofd. Arme prinses Amitha. Ze werd gebruikt zoals het de koning uitkwam. Alles in naam van het koninkrijk...

'Zo gaan de dingen nu eenmaal, Ajala,' wees Reinold haar de les. 'Richt jij je maar op het vinden van die jongen, dan regel ik dit wel. Laat me direct roepen als je nieuws hebt.' De raadsheer verliet de torenkamer.

Ajala zuchtte. Ze had tijd nodig om na te denken. Maar waarschijnlijk stond er alweer een rij jongens voor de deur om gekeurd te worden. Ze opende de deur en keek in de verwachtingsvolle gezichten van acht jongemannen. Ach, dacht ze. Zo lang hoeft dit niet te duren.

De vogels floten hun lied, een zacht briesje bracht de bladeren van de bomen in beweging en de zon verlichtte met dunne stralen het bospad. Doelloos dwaalde Ajala door de bossen. Ze moest even weg uit het kasteel. Miron was de jongen die het koninkrijk kon redden, ze had hem gevonden en hoefde het alleen hardop uit te spreken. Dan zou hij met zijn dood de naderende vuurvlam stoppen.

Iets hield haar tegen. En het was niet alleen haar onwil om een leuke, aardige, behulpzame jongen die nog nooit een vlieg kwaad had gedaan ter dood te veroordelen. Al de hele middag zag ze een sleutel voor zich als ze haar ogen sloot. Miron was de sleutel. Maar waartoe? Welke deur moest hij openen?

Ze schrok toen ze de hirkiboom herkende die ze gebruikt had om haar laatste Bot te vinden. Alleen al van de herinnering aan de ontmoeting met het kwaad kreeg ze koude rillingen. Nadat ze het Okeshbot had gevonden, had ze er niet meer aan willen denken. Nooit wilde ze meer die haat voelen die scherper was dan een pas gewet zwaard. Nu ze voor de tweede maal naar de boom was geleid, begreep ze dat ze er niet voor kon weglopen. De sleutel, flitste het door haar gedachten. Zij had de sleutel in handen tot het vinden van de gemaskerde man. Met geen van de Voorspellers kon ze hem ontmaskeren. Hij had zich goed beschermd. Maar zíj kon door zijn bescherming heen dringen.

Ze had geen keus. Ze moest nog een keer zijn geest zoeken, zich met hem verbinden. Ze huiverde. Wat als hij haar zou opmerken? Of als ze de verbinding niet kon verbreken als het nodig was? Moest ze dit wel alleen doen? Ver weg van iemand die haar kon helpen? Zou ze teruggaan en Reinold om raad vragen?

Misschien lukte het geen tweede keer. De eerste keer was het per ongeluk gegaan. 'Je bent aan het treuzelen,' sprak ze zichzelf toe. Ze klom in de opening van de holle boom en omhulde zichzelf met de duisternis.

Ze concentreerde zich op alles wat slecht was, boosaardig, kwaadaardig. Zwart van hart, vol van haat. De gevoelens kropen bij haar naar binnen, namen haar stukje bij beetje over, alsof ze er langzaam in ondergedompeld werd. Maar haar geest bleef in haar lichaam, heel anders dan de vorige keer. Ze voelde het ruwe hout tegen haar rug, rook de bedompte lucht. Er kwamen beelden, aan de binnenkant van haar gesloten oogleden, alsof ze naar een voorstelling keek. Ze werd het beeld ingetrokken, zoals gebeurde als ze in een Glazen Bol staarde.

Het was donker en stil. Hij sloop de trap op en opende de deur van Odmunds werkkamer. Door het maanlicht was de kamer in een zilveren gloed gehuld. Hij stak de kaars aan die hij had meegebracht. Zelfverzekerd zocht hij in de kasten en pakte de witte, fluwelen zak. De Botten prikten gemeen in zijn vingers. Hij lachte geluidloos. Ik ben niet bang voor jullie, dacht hij.

Hij ontkurkte het flesje dat hij bij zich had, opende de zak met Botten en liet het zwarte, magische poeder in de zak glijden. Iedere korrel ging erin. 'Vanaf nu behoren jullie toe aan de Deemster Vorst. Vanaf nu laten jullie de duider zien wat ik wil dat ze te zien krijgt,' fluisterde hij.

Ajala opende haar mond en hapte als een vis op het droge naar lucht. Met haar handen greep ze naar haar keel. Ik stik! Ze rolde de hirkiboom uit en kwam met een klap op de grond terecht. Piepend zoog ze de frisse lucht naar binnen. Het bos om haar heen draaide en wervelde. De Botten van Odmund... Hij had de Botten in zijn macht gehad.

Haar wereld leek in scherven uiteen te spatten. Alles waar ze in geloofd had, waar ze op vertrouwd had, bleek een leugen, in dienst van het duister. Ze werd duizelig, had het gevoel dat de vaste grond onder haar verdween en veranderde in drijfzand. In paniek rende ze weg.

Zoekend liep ze rondjes door de werkkamer. Hij was hier geweest, had Odmunds Botten gepakt en tot de zijne gemaakt. Hoe kon ze dat niet gemerkt hebben? Er was niets te zien. Nergens sporen van een indringer. Toch voelde de werkkamer niet meer als de vertrouwde, veilige plek die hij altijd geweest was.

De gemaskerde man was hier binnengedrongen en ze had niets in de gaten gehad... Nu begreep ze waarom de Botten haar niet langer hadden toegezongen. Hoe had ze zo stom kunnen zijn?

Wanneer had ze voor het eerst de weerstand van de Botten gevoeld? Vanaf dat moment hadden de Botten niet langer de waarheid verteld, kon ze niet meer vertrouwen op de duidingen. Haar hoofd tolde, alsof ze met haar ogen dicht rondjes had gedraaid. Ze had niet alleen op de Botten vertrouwd, ze had Kaarten gelegd, Water gestaard en een Droom gehad. Had de gemaskerde man ook daar invloed op? En op haar eigen Botten? Die had ze dag en nacht bij zich gedragen. Toch durfde Ajala ook daar niet meer op te vertrouwen. Het risico was te groot!

Als de Voorspellers niet te vertrouwen waren, had ze niets, wist ze niets, was ze niets. 'Goede Mirmana, help mij. Ik weet niet meer wat ik moet doen,' fluisterde ze en ze greep naar haar hanger. Hoe kon ze bepalen wat waarheid was en wat de gemaskerde man haar had voorgespiegeld?

Ze griste een vel papier en een stuk houtskool uit de kast en ging zitten. Denk na, Ajala. Wat weet je zeker?

Het koninkrijk was in gevaar, dat wist ze zeker. De vuurvlam was zelfs met het blote oog te zien. En over het bestaan van de gemaskerde man was ook geen twijfel. Al vanaf het begin hadden de Andysbotten in de duiding gezeten. Dus het draaide echt om een jongeman.

Ineens werd ze overspoeld met hoop, als een golf die over het zand rolt. Moest Miron wel sterven? Dat hadden de Botten haar verteld. Misschien was dat precies wat de gemaskerde man wilde. Als de jongen stierf, zou de vuurvlam uit de hemel neerdalen en het koninkrijk verwoesten.

Ze wilde niets liever geloven dan dat Miron niet hoefde te sterven. Maar haar gevoel zei het tegendeel.

Onbewust kraste ze met de houtskool over het papier. Toen ze er een blik op wierp, stond de vierpuntige kroon erop. Ze sloot haar ogen. Het leek alsof haar hand een eigen leven leidde. Driftig bewoog de houtskool over het papier.

Na een tijdje stopte haar hand. Nieuwsgierig opende ze haar ogen. De tekening was zo gedetailleerd, dat ze zeker wist dat haar hand geleid was als Voorspeller. Als zij zelf iets tekende, leek het meer op het geknoei van een vijfjarig kind.

Op het papier stond de vuurvlam aan een maanloze hemel. Daaronder de vuurberg. Op de rand van de krater, onder de vierpuntige kroon, stond een persoon.

Haar maag draaide zich om. De boodschap van de Tekening was duidelijk. De persoon moest sterven in de vuurberg. Miron. Voor haar ogen verscheen het beeld van een sleutel. Ze moest hem spreken. Nu.

Waarom gebeurde er niets? Hij had Ranika ontfutseld dat Miron zich gemeld had. De page had gedaan wat hij moest doen. Hoe kwam het dan dat het kasteel niet gonsde van de geruchten? Iedereen zou moeten weten dat de verloofde van de prinses gevonden was. Wat hield dat kleine serpent tegen? Waarom maakte ze niet bekend dat ze hem gevonden had?

Hij moest iets doen. Het was onuitstaanbaar dat hij geen vat op haar had. Een slaapmiddel in haar eten of drinken. Dan kan ik vannacht ongemerkt bij haar Botten.

De deur van zijn vertrek werd opengegooid. Geschrokken draaide hij zich om. Amitha. Met een rood aangelopen gezicht.

'Weet u wat er nu weer gebeurd is?' Ze smeet de stoel die haar blijkbaar in de weg stond aan de kant en ging met haar handen in haar zij voor hem staan. 'De man die zich mijn vader noemt, liet me halen. Weet u wat hij zei? Dat het genoeg is geweest. Dat ik me als een klein kind gedraag en hem voor schut zet. Vanaf nu verwacht hij dat ik me weer in het openbaar vertoon en doe wat hij wil. Ik moet me er maar bij neerleggen dat ik me zal verloven. Het is toch niet te geloven?'

Ze had haar hele tirade er in één adem uitgegooid.

'Het is niet eerlijk.' Hij liep op haar af. Er stonden tranen van onmacht in haar ogen. Hij streek een losse pluk haar weg uit haar gezicht.

'Ik weet dat ik een prinses ben en dat ik verantwoordelijkheden heb. Maar ik wil niet trouwen.' Er klonk een snik in haar stem.

'Luister goed, ik beloof je dat je niet hoeft te trouwen.'

Ze keek hem met haar vochtige, mooie ogen aan. 'Hoe kunt u dat beloven? Mijn vader luistert naar niemand. En zeker niet naar u.'

De waarheid uit de mond van zijn dochter stak venijnig. 'Vertrouw op mij. Alles zal veranderen. Geloof mij als ik zeg dat jij niet hoeft te trouwen.' Hij perste zijn lippen op elkaar. Hij had al te veel gezegd.

Ze sloeg haar armen om hem heen.

HOOFDSTUK XVI

De vertrekken van de prinses waren allemaal ruim, licht en warm ingericht. Aan de muur hing een portret van koningin Godilla en koning Adelhart. Prinses Amitha zat met haar rug naar het portret aan tafel. Omdat ze nog steeds weigerde in de eetzaal te eten, was Miron met twee bedienden aangesteld om de maaltijd in haar privévertrekken op te dienen. Het moest wel een teken zijn, dat juist hij die opdracht had gekregen.

Terwijl hij haar roemer bijvulde met aangelengde wijn, snoof hij haar geur op. Een lentebries vol bloemen.

Met zijn handen achter zijn rug gekruist wachtte hij tot hij iets voor haar kon doen. Ze speelde met haar eten, prikte in de filetborst en liet het vlees weer van haar vork glijden. Zou ze iets anders willen? Ze hoefde maar te wenken.

Haar page Babbe had haar bord al leeg. Als een schaduw zat ze schuin achter de prinses en gebaarde naar de bedienden. Miron draalde zodat een van de andere twee naar voren liep om de page te bedienen. Hij wachtte liever totdat hij de prinses kon helpen.

De stilte in het vertrek was drukkend. De prinses was in zichzelf gekeerd terwijl ze normaal straalde als de zon.

'Wij gaan het dessert halen,' fluisterde de bediende links van hem. Miron knikte. Toen de anderen weg waren, overwon hij zijn verlegenheid en liep naar de prinses. 'Kan ik iets voor u doen, hoogheid?'

Prinses Amitha keek hem aan alsof ze hem nu pas opmerkte. 'Miron, jij was toch de page van Lanzo? Wat doe jij hier als bediende?' Dit was de prinses die hij kende: vriendelijk en direct.

'Tijdens de missie naar de bergen is er het een en ander gebeurd. Ik ben niet langer Lanzo's page. Ik wacht op een plaats als leerlingheelmeester. Tot die tijd werk ik als bediende.'

Ze wenkte hem dichter bij. 'Ik wil alles horen.'

Mirons hart klopte sneller. Met rode wangen vertelde hij wat ze beleefd hadden in de bergen. Halverwege het verhaal kwamen de twee bedienden terug. Ze keken afkeurend toen ze zagen dat Miron in gesprek was met de prinses. Het was ongepast dat bedienend personeel zat te kletsen met iemand van de koninklijke familie.

Zijn wangen gloeiden toen de prinses hen wegstuurde en zei dat Miron wel voor haar zou zorgen. 'Ga verder,' zei ze met ongeduld in haar stem. Het leven leek in haar teruggekeerd.

Terwijl hij vertelde, maakte hij een bord voor haar klaar met zo veel lekkers, dat hij zeker wist dat ze dat niet zou kunnen weerstaan. Hij schoof het bord vlak onder haar neus. Door de geuren alleen al liep het water in zijn mond. De prinses pakte een bessenkoek, dompelde die in de kom met room en nam een grote hap. 'Neem ook wat,' zei ze gul.

De page van de prinses snoof. Miron wist niet waar hij kijken moest.

Omdat de prinses nogmaals aandrong, nam hij een zacht vruchtentaartje dat op zijn tong smolt toen hij een hap had genomen. 'Vertel verder,' moedigde ze hem aan en hij vertelde de rest van zijn verhaal.

'Ik weet niet hoe het met jou zit,' zei ze nadat hij verteld had over het gesprek met de hertog en zijn ontslag als page, 'maar ik heb honger gekregen.'

Hij lachte haar toe. Voor hij kon vragen wat ze wilde hebben, zei ze: 'Babbe, ga eens naar de keuken en laat daar een grote portie vèrstengels voor me bakken, met een krokant laagje eromheen. Ik wil er bonaysesaus bij. En een hantèlbout, nog rood vanbinnen.'

In een flits keek Babbe de prinses verontwaardigd aan, maar ze trok haar gezicht weer in de plooi en stond op. 'Laat mij gaan, prinses,' bood Miron snel aan. Het was ongepast dat hij hier bleef kletsen.

De prinses draaide haar gezicht naar haar page en vroeg: 'Was ik niet duidelijk?' Het meisje stoof weg. 'Zo, daar zijn we even vanaf.'

Mirons hart klopte zo hard, dat hij zeker wist dat de prinses het kon horen. Ze wilde alleen met hem zijn... Konden dromen werkelijkheid worden?

'Heb je gehoord van het belachelijke plan van mijn vader om mij te verloven met de eerste de beste gek die een teken op zijn lichaam draagt?' vroeg de prinses.

Het voelde alsof ze een emmer met ijskoud water over hem heen had gegooid. Zijn hoop bekoelde op slag. Hij had er nooit bij nagedacht wat het voor prinses Amitha moest betekenen. Zonder dat ze er iets over te zeggen had, werd haar toekomst voor haar bepaald. Ze dacht natuurlijk dat ze zich moest verloven met een man die ze niet kende. Hij miste de moed om te zeggen: maak je geen zorgen, ik ben het.

'Ik heb het gevoel dat ik helemaal alleen sta. Miron, ik heb een vriend nodig. Iemand die mij helpt om aan de waanzin van mijn vader te ontsnappen. Wil jij me helpen?'

Miron slikte een brok weg uit zijn keel. 'Natuurlijk zal ik alles doen wat ik kan om u te helpen, prinses Amitha.'

Ze glimlachte flauwtjes. 'Dank je wel, Miron. Ik wist dat ik op je kon rekenen. Op dit moment weet ik nog niet wat je voor me kunt doen. Maar ik werk aan een plan. Ben je bereid om het kasteel te verlaten en met mij mee te gaan?'

Het kasteel verlaten? Was het echt zo erg? Miron wilde zijn arm om haar heen slaan. 'Ik help u, met alles wat u wilt. Ik hoop alleen dat het niet zover hoeft te komen.'

'Voorlopig vraag ik je te zwijgen over ons verbond. Doe zoals je normaal zou doen. Als ik je nodig heb, weet ik je te vinden.'

Miron boog zijn hoofd licht. Op dat moment ging de deur open en kwam de page van de prinses met lege handen binnen. Onopvallend gebaarde de prinses dat hij terug naar zijn plaats in de hoek moest.

'Het eten wordt zo gebracht, prinses Amitha,' zei de page.

'Lekker, Babbe. Ik heb er echt zin in. Dank je wel.'

Met de vuile vaat liep Miron naar de keuken. Als de prinses zo overstuur was van de verloving dat ze het kasteel wilde ontvluchten, mocht hij dan wel hopen dat hij de uitverkorene was? Hij wilde haar niet ongelukkig maken.

'Miron, waar kom jij vandaan? Ik ben al de hele tijd naar je op zoek.' Ajala kwam met grote passen op hem af. 'Laat die vaat staan en kom mee.'

Miron keek om zich heen. Verwachtte ze dat hij de lege borden hier op de grond neerzette? Er was niemand in de buurt om de spullen aan te nemen, dus zette hij ze in een nis achter de beeltenis van een van de voorvaderen van koning Adelhart.

In snel tempo liep hij de hofduider achterna naar haar werkkamer.

Ze bood hem een stoel aan en keek fronsend naar hem. 'We moeten praten, Miron.'

De toon in haar stem bezorgde hem steken in zijn buik. Dit kon nooit goed zijn.

'Ik heb je hulp nodig,' zei Ajala met een diepe zucht.

Alweer een jongedame die zijn hulp nodig had. Wat gebeurde er vanavond allemaal? 'Wat kan ik voor je doen?'

'Me helpen een raadsel op te lossen. Ik ga eerlijk tegen je zijn. Jij bent de sleutel, Miron, ik weet alleen niet tot wat.'

Ik de sleutel? Is dat hetzelfde als de uitverkorene?

'Vertel me meer over je dromen. Wanneer zijn ze begonnen? Vertel wat je zag, wat je rook, wat je hoorde, wat je voelde.'

'De dromen waren heel intens, alsof het meer dan dromen waren. Steeds weer vlammen die vanaf de hemel neerdaalden. En gisteren droomde ik dat de prinses uit de vlammen tevoorschijn kwam.' Zijn wangen kleurden rood, toch sprak hij verder. 'Ze zei dat ik het was.'

Even wachtte hij op Ajala's reactie. Ze lachte hem niet uit en maakte geen gemene opmerking. Ze leek na te denken over zijn woorden. 'Prinses Amitha zei de woorden die ik al eerder had gehoord in mijn dromen. Ik hoor ze zelfs als ik wakker ben. Er lijkt een stem in mijn hoofd te zitten die steeds dezelfde woorden herhaalt. *Jij bent het*. Keer op keer heb ik gehoord dat ik het was. Daarom heb ik me bij Ranika gemeld.'

Ajala boorde haar donkere ogen in de zijne en boog voorover. 'Dus de prinses verschijnt zomaar in je dromen? Eigenaardig. Of niet natuurlijk. Welke jongen droomt er niet van de prinses, zeker op dit moment? Maar je hoort dus stemmen? Waarom heb je me dat niet eerder verteld? Dit kan belangrijk zijn!'

Hij kon haar blik niet langer verdragen en keek weg. 'Omdat je nu waarschijnlijk denkt dat ik gek ben,' zei hij zacht.

Even was het stil, tot Ajala vroeg: 'En die vlek kreeg je dus ook in een droom?'

'Inderdaad. Eerst dacht ik dat ik gek was geworden. Hoe kan een droom een teken in mijn been branden?'

'Dat kan alleen met magie,' zei ze. 'Jij bent getekend. De vraag is door wie.'

Waar had ze het over?

'Wel heel toevallig dat jij die dromen en die vlek kreeg vanaf het moment dat ik de dreiging ontdekte.' Ajala mompelde, leek niet in de gaten te hebben dat hij er ook nog was.

'Hmmm?' Dreiging?

‘Een beetje te toevallig. Alsof iemand het mij gemakkelijk wil maken. En jou ervan wil overtuigen dat jij de uitverkorene bent. De prinses verscheen niet zomaar in die droom.’ Haar ogen keken dwars door hem heen naar een plek ver weg. ‘De puzzelstukjes passen te mooi.’

Het was Miron een raadsel hoe puzzelstukjes te mooi in elkaar konden passen. De hofduider was duidelijk in gesprek met zichzelf.

‘Alles wijst op jou. Alsof iemand er zeker van wil zijn dat ik niet de verkeerde persoon aanwijs. Want als ik de verkeerde aanwijs... Oh, goede Mirmana, als ik de verkeerde aanwijs, is alles verloren.’

Ajala keek verschrikt om zich heen. Ze was terug van de plek ver weg. ‘Hoe heb ik zo stom kunnen zijn?’ zei ze terwijl ze haar hoofd schudde. Losse haren ontsnapten uit haar opgestoken kapsel. Eindelijk richtte ze zich weer met een glimlach tot Miron. Haar ogen straalden.

Hij moest wel teruglachen, al snapte hij er niets meer van. Was ze opgelucht dat hij niet met de prinses zou trouwen?

‘Jij bent niet degene die we zoeken, Miron.’

Niet? Dus ik ga niet met de prinses trouwen? Hoe kan ze dat opeens weten? En waarom is ze daar zo blij om?

‘Kijk niet zo beteuterd. Geloof me, wees blij dat je het niet bent.’

Misschien had ze gelijk. Hij was niet degene die tegen de wens van de prinses in met haar zou trouwen. Nu kon hij haar helpen zoals hij beloofd had.

Hij zuchtte. De droom was dus toch te mooi om waar te zijn. Waarschijnlijk bedoelde Ajala dat met die puzzelstukjes.

‘Jij hebt geen teken nodig om bijzonder te zijn,’ zei ze.

Mirons bloosde. Het kriebelde in zijn buik.

Ze klopte hem op zijn schouder. ‘Het komt allemaal goed. Ik

hoorde dat de hertog druk bezig is om een goede leerplek voor je te regelen. Hier bij de heelmeester aan het hof.'

Ze reikte hem een nieuwe droom aan. 'Dank je wel,' zei hij uit de grond van zijn hart. Hoe had hij ooit koude rillingen van haar kunnen krijgen?

'Ik ben nog niet klaar met je. Je moet me helpen om het laatste raadsel op te lossen.'

Haar helpen? 'Maar hoe dan?'

'Jij bent de sleutel, dat zie ik keer op keer. Help me te ontdekken welke deur jij kunt openen.'

'Welke deur wil je geopend hebben?' zei hij met een glimlach.

Ajala's ogen werden groot en ze sprong overeind. Hij kromp ineen. Hij had het als een grapje bedoeld. 'Zo bedoelde...'

'Dat ik daar zelf niet aan gedacht heb,' onderbrak ze hem. 'Jíj kunt de uitverkorene vinden. Denk na, Miron. Ken jij iemand met een vlek in de vorm van een vierpuntige kroon?'

Hij fronste zijn wenkbrauwen. Hoeveel mensen kende hij nou? Hij kende alleen de mensen die Lanzo kende. In een flits zag hij het voor zich. De moedervlek, net boven Lanzo's billen! Drie jaar geleden waren Lanzo en hij aan het stoeien in de tuin van de hertogin. Lanzo was recht in de brandnetelstruiken beland. Hij was gek geworden van de jeuk en had Miron dagen laten krabben op plekken waar hij zelf niet goed bij kon. Toen hij tussen Lanzo's schouderbladen aan het krabben was, gebood Lanzo: 'Lager, nog lager.' Zo had hij de moedervlek opgemerkt, omdat er een rood randje omheen zat.

'Lanzo...' fluisterde hij.

Ajala liep op hem af, greep hem bij zijn bovenarmen. 'Lanzo, zei je. Heeft hij het teken?'

Miron knikte. Lanzo had het teken. Hij zou de prijs krijgen, mocht trouwen met de prinses. Zoals altijd was Lanzo degene waar het om draaide.

'Waarom heb je dit niet eerder gezegd? Je weet toch dat het hele koninkrijk op zoek is naar degene met het teken! En waarom heeft Lanzo zich niet gemeld? Ik doe hem wat als hij echt het teken heeft.'

Miron schrok van Ajala's boosheid. 'Het spijt me, ik heb er geen moment aan gedacht. Het kwam net pas boven, toen je erom vroeg. Ik denk dat Lanzo niet eens weet dat hij het teken heeft. Hij heeft een moedervlek, vlak boven zijn billen.'

'Ga hem halen, meteen.'

Miron vloog weg. Pas voor de deur van Lanzo's vertrek vertraagde hij. Wat moest hij tegen Lanzo zeggen? De hertogszoon wilde niets meer met hem te maken hebben. Hij klopte op de deur. Geen reactie. Voorzichtig opende hij de deur en gluurde door de kier naar binnen. 'Lanzo, ben je daar?'

'Wat wil je?' Lanzo klonk vermoeid, alsof hij geen puf meer had om nors te doen.

'Ik ben hier in opdracht van de hofduider. Ze wil je in haar werkkamer spreken.'

'Dus nu zorg je voor haar?'

Lanzo's haren waren vet, er zaten kreukels in zijn kleren en stof bedekte zijn schoenen. Miron kreeg medelijden met de hertogszoon. Lanzo was een eenzame jongen die niet eens voor zichzelf kon zorgen. 'Ga je mee? Het heeft nogal haast.'

'Ik zal kijken wanneer ik tijd heb.'

'Het is belangrijk, Lanzo. Kan ik Ajala zeggen dat je eraan komt?'

'Doe dat maar, bedien haar maar op haar wenken.'

Miron keerde Lanzo zijn rug toe. Zonder de deur achter zich te sluiten, liep hij weg. Wat was er toch gebeurd met zijn vriend? Waar was de glans in zijn ogen gebleven?

Ajala ijsbeerde voor zijn ogen heen en weer. De hofduider hield duidelijk niet van wachten. Hij wilde haar afleiden door wat te kletsen, maar hij wist niet waar hij moest beginnen of wat hij moest zeggen. Eindelijk hoorde hij sloffende voetstappen. Lanzo verscheen in de deuropening en wendde zich tot Ajala. 'Je had me laten roepen?'

'Fijn dat je de moeite hebt genomen om te komen,' zei ze met lichte spot in haar stem. 'Doe je de deur even dicht?'

Lanzo liep het vertrek in zonder de deur te sluiten. 'Waar is de brand die ik moet blussen?'

'Lanzo, doe niet zo kinderachtig. Wat ik met je wil bespreken, is van levensbelang.' Ajala leek te groeien tijdens haar woorden. Wat was ze veranderd in de tijd dat Miron in de bergen was geweest. Ze was een vrouw geworden om rekening mee te houden. Een bijzondere vrouw, schoot het door zijn hoofd. Hij keek snel naar Lanzo.

'Ik neem aan dat je gehoord hebt van de zoektocht naar degene met het teken,' zei Ajala. Nadat Lanzo geknikt had, vervolgde ze: 'Volgens Miron heb jij het teken.'

Lanzo's houding veranderde, de spanning in zijn gezicht verdween en zijn blik werd milder. 'Ik?'

'Het klinkt misschien raar, maar kun je je broek laten zakken?'

Voordat Lanzo kon protesteren, zei Miron: 'Je hebt een moedervlek boven je billen, in de vorm van een vierpuntige kroon.'

Ongelovig schudde Lanzo zijn hoofd. 'Wil je zeggen dat ik het teken heb? Dat ik met de prinses zal trouwen? Ik?' Langzaam kwam de vertrouwde Lanzo tevoorschijn, als een slak die onder een blad vandaan kruipt.

'Ik moet het teken zien voordat ik je meer kan vertellen,' drong Ajala aan. Miron begreep het niet. De hofduider leek niet blij voor Lanzo.

De hertogszoon draaide zich om en liet zijn broek een stukje zakken. Met rode wangen liep Ajala op hem af, bracht haar gezicht vlak bij Lanzo's billen en kneep haar ogen tot spleetjes. Ze wees met haar vinger naar de plek, maar raakte hem niet aan.

'Ik heb genoeg gezien,' zei ze op neutrale toon. Miron had geen idee wat ze van de moedervlek vond.

'Jij bent nog geen vijftien, of wel?' vroeg ze toen Lanzo zich had omgedraaid.

'Nee, maar ik ben over vijf dagen jarig.'

'Tegelijkertijd met de prinses?' riep Ajala uit.

'Tegelijkertijd met de prinses,' zei Lanzo.

'Het komt allemaal samen,' zei Ajala met grote ogen.

Miron had er nooit bij stilgestaan dat de prinses en Lanzo op dezelfde dag geboren waren, maar aan Ajala's verbaasde blik te zien was het belangrijk. Nu hij erover nadacht, leken die twee voor elkaar bestemd. Precies even oud en het teken van de kroon dat hen verbond.

'Voorlopig weet ik genoeg. Laat me alleen, ik heb werk te doen,' zei Ajala streng. Ze leek van haar verbazing bekomen.

'En ik dan?' vroeg Lanzo. 'Ben ik de uitverkorene?'

'Dat weet ik nog niet,' antwoordde Ajala. Miron vond haar niet overtuigend klinken.

'Wanneer weet je dat wel?' Er klonk ongeduld in Lanzo's stem.

'Hoe sneller jullie me alleen laten, hoe eerder ik jullie antwoord kan geven. Ga en spreek hier met niemand over. Beloofd?'

Nadat ze allebei hadden ingestemd, gaf Miron het goede voorbeeld en verliet met een hoofd vol vragen de kamer van de hofduider. Lanzo's voetstappen volgden hem.

Het kleine serpent was niet verschenen tijdens de avondmaaltijd. Ondanks zijn aandringen bij Adelhart dat het bij haar positie hoorde om te dineren met de belangrijke leden van het hof. Die weekhartige dweil vond het niet nodig om haar tot de orde te roepen. Dat het koninkrijk nog niet verworden was tot een grote chaos met deze man aan het hoofd, verwonderde hem elke dag weer.

Binnenkort zou alles anders zijn. Als hij vat kreeg op Ajala. Het kreng had geen eten naar haar werkkamer laten brengen, waardoor hij haar nog geen slaapmiddel had kunnen toedienen.

Na de maaltijd had hij zich in een nis vlak bij de toren verstopt, wachtend op een kans. Ajala liep voorbij, met grote passen. Op haar hielen gevolgd door Miron. Dat was goed... Na een tijdje had Miron in zijn eentje de toren verlaten. Hij zag er niet uit als een jongen die te horen had gekregen dat hij met de prinses zou trouwen. Wat hadden die twee besproken?

Terwijl hij nadacht over wat hij moest doen, kwam Miron alweer terug. Even later volgde Lanzo.

Zijn hart sloeg een slag over. Wat gebeurde er? Wat moest Lanzo bij Ajala? Zou ze... nee, dat was onmogelijk. Ze kón het niet weten. Hij bedwong zichzelf om de trap op te lopen en aan de deur te luisteren.

Zijn hart bonsde in zijn oren en de tijd verstreek tergend langzaam. Eindelijk kwamen Miron en Lanzo weer naar beneden. Ze spraken niet en zagen er nog steeds niet uit alsof een van hen te horen had gekregen dat hij met de prinses zou trouwen. Waar was Ajala in naam van de Deemster Vorst mee bezig?

Hij wachtte nog een tijd, maar er gebeurde niets. Hij hoorde ook geen voetstappen op de trap, die aangaven dat Ajala zich terugtrok in haar privévertrekken. Het kind hoorde naar bed te gaan. Dan zou hij op zoek gaan naar de Botten, dan maar zonder dat hij haar verdoofd had. Dat kleine serpent was veel te gevaarlijk. Hij haatte het, dat hij haar nodig had om Miron aan te wijzen. Als ze dat eenmaal had gedaan, waren haar dagen geteld. Net als die van iedereen, dacht hij.

HOOFDSTUK XVII

Ajala hield haar Botten met beide handen vast. Ze zongen naar haar, vertelden haar dat het goed was, dat ze niet bang hoefde te zijn dat de gemaskerde man vat op hen had. Wat een verschil met de vijandelijke Botten van Odmund. Dat ze dat niet eerder gemerkt had!

Woede welde in haar op. Hoe durfde die verrader haar zo aan te vallen? Hij had haar gebruikt. Als hij aan de Voorspellers kwam, kwam hij ook aan haar! Ze zou hem ontmaskeren, al was het het laatste wat ze deed. Na al die jaren zou de koning weten wie de minnaar van de koningin was geweest.

'Word rustig,' sprak ze zichzelf toe. Als er een orkaan woedde in haar hoofd, kon ze geen fatsoenlijke duiding doen. Ze wilde het advies van de Botten voordat ze de koning en Reinold alles zou vertellen. Ondanks dat haar Tekening duidelijk was – Lanzo moest sterven – wilde Ajala er niet aan toegeven. Het was niet eerlijk. Er moest een andere oplossing zijn!

Ze sloot haar ogen en neuriede mee met het lied van de Botten. 'Help me, Botten. Dit is de laatste kans voor Lanzo. Hoe kunnen we het koninkrijk redden?' Zonder Lanzo op te offeren, dacht ze er achteraan.

Ajala liet de Botten los. Ze wachtte tot ze niets meer hoorde en opende haar ogen. Wat was dat? Midden op de legdoek lag een aantal Botten op een hoop. Tranen sprongen in haar ogen. Was dit het werk van de gemaskerde man? Dat kon niet waar zijn! Haar Botten waren niet door hem beïnvloed, dat wist ze gewoon. Wat was er dan aan de hand? Dit had ze nog nooit gezien.

Rustig blijven, dacht ze. Stuk voor stuk ontleden, zoals Odmund me geleerd heeft.

Een voor een pakte ze de Botten die op de hoop lagen. Ankash, de dood, lag boven op de stapel. Daaronder lagen de Andysbotten en Nuno. Ze had de dood, Lanzo en de gemaskerde man. Moesten Lanzo en de verrader in de vuurberg sterven? Dat leek de meest logische verklaring. Maar dan moest ze de verrader wel eerst vinden!

'En?' vroeg Reinold nadat Rotwardo, Nitard en Wulfar waren vertrokken en de deur van de werkkamer van de koning was gesloten. Na een nacht overleggen waren Reinold en de koning het met haar eens: de verrader moest een van deze drie mannen zijn. Leden van de hofhouding kwamen en gingen maar deze drie waren – naast Reinold – al meer dan vijftien jaar in trouwe dienst. De koning beschouwde hen als vrienden en daarom kwamen zij in aanmerking. Nadat Ajala haar verdenking tegen de mannen had geuit, konden ze maar tot één conclusie komen.

Koning Adelhart wilde alle drie de mannen meteen opsluiten en de waarheid uit hen slaan. Maar Ajala had hem om kunnen praten. Ze vertrouwde niet op bekentenissen die door martelingen werden verkregen. Ze geloofde er niet in dat de eerste die aan de pijn zou bezwijken, ook echt de verrader zou zijn. 'Laat mij proberen om door zijn bescherming heen te dringen, de verrader denkt nu nog dat hij veilig is. Als wij alle drie die mannen opsluiten, zal hij al zijn krachten aanwenden om zichzelf te beschermen en misschien een ander erin te luizen. Straks bekent een onschuldig iemand. We moeten het zeker weten! Opsluiten kan altijd nog.'

Daarom hadden ze Rotwardo, Nitard en Wulfar na het ontbijt uitgenodigd voor een gesprek. De koning had verteld dat Miron de uitverkorene was en dat hij zich verheugde op de verloving.

Ajala had tijdens de toespraak van de koning geprobeerd om contact te leggen met de geest van de verrader. Maar haar geest wilde nergens naartoe.

'Hij zat erbij,' zei ze. 'Ik kon de haat voelen. Totdat de koning vertelde over de verloving van de prinses, toen voelde ik opluchting en blijdschap.'

'Het is niet waar,' zei koning Adelhart met een diepe zucht. 'Heeft die verrader al die jaren aan mijn zijde gestaan? Wie is het, Ajala?' De stem van de koning klonk krachtig, maar zijn ogen stonden verdrietig.

Ze had er het hele gesprek over nagedacht. Kon het Rotwardo zijn, de broer van de koning? De man die altijd in de schaduw van zijn oudere broer had gestaan? Of was het Nitard, de loopjongen zonder enig gezag? Al zijn hele leven diende hij de koning en wat had het hem opgeleverd? Of was het de strijdadviseur? Hij was de jongste en oersterk, een man op wie de koningin verliefd had kunnen worden. 'Ik weet het niet. Het was een van die drie mannen, dat is zeker. Maar wie?' Ze haalde haar schouders op. 'We moeten een andere manier bedenken om hem te ontmaskeren. Anders is alles alsnog verloren.'

'Jij bent de enige die hem kan aanwijzen. Denk na, Ajala,' zei Reinold. 'Niets is belangrijker dan dit.'

Alsof ik dat zelf niet weet, dacht ze. De verantwoordelijkheid drukte als een loden gewicht op haar schouders. Het lot van het koninkrijk lag in haar handen. Ze had nog maar vier dagen tot de donkere maan.

'We komen hier straks op terug,' zei de koning. 'Eerst moeten we met hertog Bauenold en zijn zoon spreken.'

Ajala kreeg een hol gevoel in haar buik. Hoe vertelde je iemand dat hij zich moest opofferen voor het koninkrijk? Ze was blij dat zij het woord niet hoefde te doen.

'Laat de hertog en zijn zoon binnen,' zei koning Adelhart zacht.

Reinold liet hen binnen en wees naar de lege stoelen die voor het bureau van de koning stonden.

'Ik hoop niet dat mijn zoon zich misdragen heeft,' opende de hertog het gesprek. Hij deed een poging luchtig te klinken.

'Dat heeft hij zeker niet. Daarvoor hebben we jullie niet laten roepen,' zei de koning.

De hertog ontspande zichtbaar. 'Waar gaat dit dan over?'

Koning Adelhart richtte zich tot de hertog. 'Er is geen gemakkelijke manier om dit te zeggen, goede vriend. Daarom kom ik meteen ter zake. Jullie weten van de zoektocht naar de jongen met de vierpuntige kroon...'

'Echt waar? Ben ík het?' vroeg Lanzo enthousiast.

De koning boog zijn hoofd naar de hertogszoon. 'Helaas wel.'

'Hoezo helaas?' vroegen Lanzo en de hertog tegelijkertijd.

'We zoeken de jongen met de vierpuntige kroon niet omdat hij zich zal verloven met de prinses. Jij, Lanzo, bent de enige die dit koninkrijk kan redden.'

Lanzo veerde op. Zijn lach reikte van oor tot oor. 'Het koninkrijk redden?'

'Waarschijnlijk heb je het teken aan de hemel wel gezien. Het is geen teken van Mirmana om de verloving aan te kondigen, het is een enorme vuurvlam die steeds dichter bij komt en alles zal verwoesten.'

'En ik moet die vuurvlam tegenhouden?' vroeg Lanzo verbaasd.

'Er is maar één manier waarop die vuurvlam tegengehouden kan worden. Jij zult moeten sterven, Lanzo.'

'Wat is dit voor waanzin?' Het gezicht van de hertog trok wit weg. Zijn handen omklemden de armleuningen van de stoel, alsof hij zichzelf tegenhield om de koning niet aan te vliegen.

Reinold vertelde het hele verhaal. Alleen het verraad van de koningin en haar terechtstelling sloeg hij over. Tijdens zijn uitleg werd het gezicht van de hertog witter en witter. Lanzo schudde enkel met zijn hoofd.

'Lanzo, we vertrekken,' zei hertog Bauenold terwijl hij opstond. 'Jullie denken toch niet dat ik mijn zoon door jullie laat vermoorden?'

'We hebben geen keus,' sprak de koning. 'Als Lanzo niet sterft, sterven wij allemaal. Ook hij. Hij zal zijn leven moeten geven voor het koninkrijk.'

'Jullie zoeken maar een ander slachtoffer!' De hertog schreeuwde nog net niet. Wild keek hij om zich heen, als een dier in de val.

Reinold liep naar hem toe en keek hem diep in zijn ogen. 'Je zoon zal moeten sterven,' zei hij zacht.

Probeerde hij de hertog te beïnvloeden met zijn vermogens? Mocht hij dat doen? Ajala klemde haar kiezen op elkaar. Het moet gebeuren, Lanzo moet sterven, hield ze zichzelf voor.

'Er is geen keus,' zei Reinold.

Langzaam, alsof hij onder betovering was gebracht, knikte de hertog. 'Er is geen keus,' herhaalde hij Reinolds woorden mompelend. Hij ging weer zitten en keek de aanwezigen een voor een aan. 'Waarom Ajala? Waarom heb je mijn zoon aangewezen?' vroeg hij jammerend.

Ze kreeg het er benauwd van, alsof de hertog met zijn droevige blik haar keel dichtkneep. 'Het spijt me verschrikkelijk. Ik wou dat het anders was, echt waar. Maar alleen Lanzo kan deze ramp voorkomen.'

'Waarom?' vroeg de hertog weer.

Ajala vond dat de hertog recht had op antwoord, ook al had ze alleen vermoedens. 'Uw zoon is in dezelfde nacht geboren als prinses Amitha. Misschien kunt u het zich nog herinneren, hertog, dat die nacht ook opgelicht werd door een teken aan de hemel. Ook toen was er sprake van een vuurvlam, die gelukkig aan de hemel bleef en geen schade heeft aangericht. In die nacht werd een vloek uitgesproken om met een dergelijke vuurvlam het hele koninkrijk te verwoesten. Die vloek heeft Lanzo getroffen bij zijn geboorte.'

'Nee,' fluisterde de hertog. Zijn ogen werden vochtig. 'Waarom moet hij sterven? Kun je die vloek niet ongedaan maken?' riep hij wanhopig.

Ook over die vragen had Ajala nagedacht. 'De vloek is opgeroepen met de kracht van de Deemster Vorst. Niemand kan dat ongedaan maken. Ik denk dat Lanzo een soort baken is voor de vuurvlam. Hij trekt hem aan, zoals een lamp de nachtvlinders aantrekt. Zolang Lanzo leeft, zal de vuurvlam naar hem toekomen. Onhoudbaar, verwoestend.'

'Dit kan niet waar zijn,' zei de hertog.

'Er is geen keus,' zei Reinold weer, waarop de hertog verdwaasd knikte. In de kamer daalde een verstikkende stilte neer.

'Het is een mooi verhaal,' zei Lanzo.

Alle ogen vlogen zijn kant op.

'Jullie denken toch niet dat ik me ga opofferen? Zoek maar een ander.' Hij probeerde dapper te klinken, maar Ajala hoorde zijn stem trillen.

'Lanzo, het is toch jouw droom om een held te worden? Jij bent de enige die het koninkrijk kan redden. Zonder jou zijn we allemaal verloren. Jij wordt een held die bezongen zal worden in liederen, waar verhalen over verteld zullen worden, een voorbeeld voor iedereen.' Reinold sprak bevlogen. Zijn woorden leken doel te treffen, Lanzo keek vertwijfeld rond.

'Maar dan ben ik wel een dode held. Wat heb ik daaraan? Ik doe het niet!' Lanzo stond op en Reinold sprintte op hem af. Hij legde zijn handen op de schouders van de hertogszoon en keek hem doordringend aan. 'Jij zult het koninkrijk redden. Jij zult je leven opofferen en de grootste held ooit worden. Dat is wat jij wilt.'

Lanzo kreeg een glazige blik in zijn ogen en Reinold herhaalde zijn woorden. Langzaam knikte de hertogszoon.

Ajala huiverde. Lanzo en de hertog werden tegen hun wil gedwongen om toe te stemmen. Het was afschuwelijk! En ze kon niets doen.

'Ik wil een held zijn, ik wil het koninkrijk redden,' zei Lanzo woord voor woord. Hij klonk alsof hij het zelf maar half geloofde.

'Je zult de grootste held zijn die het koninkrijk ooit gekend heeft,' zei koning Adelhart. 'Ik zal er persoonlijk voor zorgen dat iedereen weet wat jij gedaan hebt.'

De hertog begroef zijn gezicht in zijn handen, schudde zacht zijn hoofd en zei: 'Er is geen keus.'

Reinold plantte een volgend bevel in de hoofden van de hertog en zijn zoon. 'Jullie gaan nu naar jullie vertrekken, blijven daar en spreken hier met niemand over.'

Lanzo bracht zijn handen naar zijn oren, alsof hij op die manier het bevel kon buitensluiten. 'Miron,' bracht hij er met moeite uit.

'Je mag er met Miron over praten,' zei Ajala voordat de koning of Reinold iets konden zeggen. Lanzo had een vriend nodig om hem bij te staan. Reinold wierp haar een boze blik toe die ze negeerde.

'Doe nu wat ik zeg,' sprak Reinold. 'Ga naar jullie vertrekken, blijf daar en spreek met niemand behalve Miron hierover.'

Hertog Bauenold en zijn zoon knikten en verlieten het vertrek.

De koning slaakte een diepe zucht. 'Is jouw invloed groot genoeg? Kunnen we er zeker van zijn dat ze zichzelf niet hervinden?'

'Nee, dat kunnen we niet,' zei Reinold. 'Dit bevel gaat recht tegen hun eigen wil en drang tot overleven in. Ik zal het regelmatig moeten herhalen. Als jullie mij willen excuseren, dan ga ik ervoor zorgen dat de hertog en zijn zoon hun vertrekken daadwerkelijk niet kunnen verlaten.'

Ajala speurde de werkkamer af. Vanaf het moment dat ze binnen was, was haar een akelig gevoel bekropen. Het prikte in haar nek alsof iemand haar in de gaten hield. Maar de werkkamer was leeg.

'Denk na,' droeg ze zichzelf op. 'Er moet een manier zijn om Lanzo te redden.' Misschien, dacht ze, kan de gemaskerde man zijn vloek ongedaan maken. Of verdwijnt de dreiging als de verrader sterft. Ze zag de hoop Botten van de vorige duiding voor zich: de dood, Lanzo en de verrader. Het was zo simpel! 'Dan zit er maar één ding op, ik moet me weer met de verrader verbinden.'

Haar huid kriebelde, alsof honderden mieren over haar heen liepen. Ze wreef over haar armen en probeerde het vervelende gevoel van zich af te schudden. De werkkamer werd donkerder. Er trilde iets in de lucht en ze voelde een harde klap in haar nek. Ajala's hoofd klapte voorover en haar halsketting viel op de houten vloer.

Duizelig draaide ze zich om. Het bloed stolde in haar aderen. Een inktzwarte wolk dreef door de werkkamer. Een wolk waar puntige klauwen uit staken die naar haar reikten.

Ze deinsde achteruit, botste tegen de tafel op en wankelde eromheen terwijl ze naar de wolk staarde. Uit de wolk schoten twee lange armen die haar insloten, waardoor ze niet meer naar links of naar rechts kon vluchten. De weg naar de deur en het raam was afgesloten.

'Help!' riep ze, maar er zat geen kracht in haar stem, het klonk als een zielig gepiep. Ze stond met haar rug tegen de muur en de wolk kwam dichter bij. 'Help!'

'Niemand kan je meer helpen, klein serpent.' De woorden kwamen uit de wolk, wervelden als een duistere dreiging om haar heen. Het kwaad had haar gevonden.

Het angstzweet brak haar aan alle kanten uit. Mirmana, help mij, bad ze.

De wolk leek te grinniken. Twee lange armen grepen haar polsen vast. Ajala gilde het uit. Haar huid stond in brand. Ze worstelde om aan de greep te ontkomen, maar haar armen werden omhoog tegen de muur gedrukt. Pijn vlamde door haar lichaam. Ajala kon niet meer denken, alleen nog maar huilen en gillen.

Een van de klauwen kwam op haar af. Een gepunte nagel kraste over haar huid, liet een bloedig spoor op de bovenkant van haar rechterborst achter. De klauw greep haar jurk en rukte die aan flarden. 'Langzaam zal ik alle lagen van je afpellen, tot er alleen nog maar ingewanden over zijn.'

Ajala gilde de longen uit haar lijf. Ze rukte zó hard aan haar armen om te ontsnappen aan die alles overheersende pijn, dat ze dacht dat ze bij haar schouders van haar lijf zouden scheuren.

De deur werd opengegooid en Miron kwam binnen. 'Ajala, wat is...'

De klauwen grepen Miron vast en gooiden hem in een hoek. Versuft bleef hij liggen.

'Miron!'

'Zeg maar vaarwel.' De wolk spoog vuur, zwart vuur. Het schoot als een waterstraal op Ajala af en drong met een klap via haar borst bij haar naar binnen. Ze knalde tegen de muur en zakte op de grond. De wolk loste langzaam op terwijl het zwarte vuur in haar lichaam pruttelde. Het borrelde, brandde en stak. Ajala had het gevoel dat ze van binnen gekookt werd. Ze sidderde en kronkelde op de grond. Rode vlekken verschenen voor haar ogen.

'Ajala, wat kan ik doen?'

Het vuur kroop verder, verlamde haar. 'Mirmana, alleen Mirmana kan me redden,' bracht ze met een laatste krachtsinspanning uit.

Miron pakte haar vast en tilde haar op. In zijn armen verloor ze het bewustzijn.

Ajala opende haar ogen in de kapel van Mirmana. Haar hele lichaam klopte, brandde en gloeide van de pijn. Alsof ze van bovenaan de torentrap helemaal naar beneden was gestuiterd.

'Ajala, je leeft nog!' Ze lag met haar hoofd op Mirons schoot en hij streelde haar wang. 'Je leeft nog!'

De deur van de kapel vloog open en Reinold kwam binnen. 'Ajala, gaat het? Wat is er in Mirmana's naam gebeurd?'

Ze was te zwak om te antwoorden. Ze knipperde met haar ogen.

'Ik weet niet wat er gebeurd is, heer. Ik ging naar de werkkamer om de hofduider iets te vragen en toen zag ik haar gillen en vechten, alsof ze door een onzichtbare vijand werd aangevallen. Ik werd tegen de muur gesmeten en zij werd opnieuw aangevallen, want ze krioelde op de grond van de pijn. Voor ze buiten bewustzijn raakte, riep ze om Mirmana. Ik kon alleen maar aan de kapel denken. Onderweg heb ik moord en brand geschreeuwd en u laten halen. Toen we hier binnenkwamen, namen de stuiptrekkingen af. Ze komt net bij.'

Reinold knielde bij haar neer. 'Meisje toch.' Hij legde zijn hand op haar schouder. 'Ik ga de heelmeester halen.'

Ajala had geen puf om te zeggen dat dat weinig zin had. Ze was aangevallen met de kracht van de Deemster Vorst. Daar kon geen heelmeester iets aan doen. Alleen met de hulp van Mirmana zou ze er weer bovenop komen.

Miron heeft het enige juiste gedaan, realiseerde ze zich. Hij heeft me gered.

Om haar polsen zat een wit verband. Waar de zwarte wolk haar had vastgegrepen, was haar huid zwartgeblakerd. Niet verbrand of verwond, maar twee inktzwarte, pijnlijke banden die als armbanden om haar polsen lagen. Ze was aangeraakt en getekend door het kwaad.

'Ajala, doe het niet! Je bent veel te zwak. Je bent amper bijgekomen van de aanslag op je leven.' Reinold stond met zijn handen in zijn haar.

'Ik moet dit doen. Ik ben niet veilig zolang de verrader vrij rondloopt. Als Miron niet toevallig was langsgekomen...'

'Je denkt toch niet dat we je ook nog maar één moment alleen laten? Wij zullen je beschermen.'

'Je kunt me niet beschermen tegen het kwaad. Ik moet ermee afrekenen. Voor eens en altijd. Geef me een beetje ruimte.'

Met een zucht gaf hij zich gewonnen en zette een stap achteruit.

Beneden stond een twintigtal wachters klaar. Reinold zou hen – op haar aanwijzingen – leiden. Even raakte ze haar halsketting aan, die ze weer omgedaan had. Mirmana zou haar beschermen.

Nadat ze diep in- en uitgeademd had, sloot ze haar ogen. Haar spieren spanden zich, alsof ze zich wilden verzetten. Ze wilde niet, maar ze móest. Dienaar van de Deemster Vorst, laat me kijken in je geest, dacht ze. Man vol haat en wraak. Afgunst en woede.

Zwaarder en zwaarder werd haar lichaam. Negatieve emoties grepen haar als puntige klauwen bij de keel. Ze liet zich grijpen, gaf zich over aan het duister. Haar geest verliet haar lichaam, vloog door de gangen van het kasteel en kwam terecht in een lichte kamer. Zachtgele gordijnen die de muur bedekten. Een haard die smeulde. Een groot portret van de koning en de koningin, nog jong en gelukkig. Ze kende dat schilderij. Het hing in de vertrekken van de prinses! Kreunend greep ze naar haar keel en haar geest sprong terug.

'Ajala?' Reinold greep haar vast en schudde haar door elkaar.
Licht verjoeg het duister.

'Ik dacht dat je stikte. We stoppen ermee.'

'Het is niets,' zei ze met onvaste stem.

'Dit is veel te gevaarlijk,' zei Reinold.

'Nee.' Ze schudde haar hoofd. 'Ik moet dit doen.'

'Heb je iets gezien?'

Weer schudde ze, met gesloten ogen, haar hoofd, zodat Reinold de leugen er niet in kon lezen. De gevoelens van haat hadden haar naar de prinses geleid. Ajala wist dat prinses Amitha woedend op haar vader was, maar dat het zo erg was... Daar zou ze later over nadenken. Eerst moest ze een tweede poging doen, zich nogmaals verbinden met het gruwelijke kwaad om de verrader te vinden. Ze onderdrukte een huivering.

Ze richtte haar aandacht op de gemaskerde man. Wie haatte hij het meest? Koning Adelhart. Via zijn haat voor de koning kon ze hem vinden. Ze dompelde zich onder in een poel van haat, concentreerde zich op alles wat de verrader verachtte aan de koning. Zijn leugenachtige glimlach. Zijn zwakke beleid en hoge eigendunk. Ajala werd meegezogen. Voor de tweede keer dwaalde haar geest door het kasteel en nestelde zich dit keer in een hoofd.

Hij staarde naar het portret van de koning en koningin. Wat was Godilla toch mooi, haar ogen verwarmden het kilste hart. De lompe arm van Adelhart om haar ranke schouders bezorgde hem een steek van jaloezie. Nog even...

Amitha kwam hem tegemoet. Ze droeg een jurk die zo groen was als gras, met witte bloemen rond de kraag. 'We moeten praten, meisje.'

'U had beloofd me te helpen. Help me dan. Nu.' Haar haren sprongen op en neer door de felheid van haar woorden.

'Daarom ben ik hier. Ik heb een plan.'

Ze stak haar neus in de lucht. 'Dat zegt u al dagen. Als u maar niet denkt dat ik hier ga zitten wachten. Vanavond nog vertrek ik, het kan me niet schelen waarheen.'

'Luister...'

Ajala wist genoeg. Voorzichtig liet ze het duistere bewustzijn los en keerde terug naar de torenkamer. 'Hij...' De wereld draaide. Reinolds gezicht leek om haar heen te dansen.

'Waar is hij, Ajala?'

'De prinses. In de vertrekken van prinses Amitha.'

'Kan ik gaan?'

Nadat ze geknikt had, rende Reinold weg. Ajala nam even de tijd om tot zichzelf te komen. De kasten van de werkkamer leken om haar heen te zweven.

Niet de prinses had duistere gevoelens, maar de man in de vertrekken van de prinses, dacht ze. Zou ze in gevaar zijn? Zou ook zij aangevallen worden door die donkere wolk?

Ajala liep met wankele benen de torentrap af. Ze hijgde en kreunde maar wist Reinold en de wachters in te halen.

'Wat doe je hier?' vroeg Reinold.

'Ik moet hem zien, hem recht in de ogen kijken als hij zich realiseert dat het voorbij is.' Ik zal hem laten zien wie van ons twee de sterkste is, dacht ze krachtiger dan ze zich voelde.

Reinold zweeg.

De groep trok veel bekijks. Door Reinolds waarschuwende blikken werden vragen ingeslikt en ging ieder zijn eigen weg. Zodra ze de noordvleugel van het kasteel, die behoorde aan de koninklijke familie, betraden, daalde stilte neer over de groep. Voetstappen werden gedempt, de lederen borstplaten kraakten niet langer en de zwaarden tikten nergens tegenaan. Ajala had de neiging om haar adem in te houden.

Vlak voor de vertrekken van de prinses wisselden de wachters tekens uit. Een van de mannen gebaarde haar stil te blijven staan.

De klap waarmee de deur werd opengegooid, verbrak de stilte. De wachters stormden de kamer in. 'Wat...' klonk de geschrokken uitroep van de prinses. Ajala rende naar binnen en... stond oog in oog met de broer van de koning.

'Jij,' brieste hij. De man straalde zo veel woede en haat uit, dat ze niet begreep dat ze dat niet eerder gezien had. Om hem heen hing een zwarte gloed, alsof zelfs het daglicht niet bij hem in de buurt wilde komen.

Ze stapte op hem af. 'Het is voorbij, Rotwardo.'

Zijn ogen flitsten. Zijn woede raakte haar zo hard, dat ze bijna achterover viel.

'Laat deze man geen hartslag alleen. Hij is ontzettend gevaarlijk,' waarschuwde ze de wachters.

'Laat hem maar aan mij over,' fluisterde Reinold in haar oor. De raadsheer had een verbeten trek om zijn mond.

'Wat is hier in Mirmana's naam aan de hand?' vroeg prinses Amitha. 'Hoe durven jullie mijn vertrekken binnen te stormen en mijn oom te overmeesteren?'

'Dat zal Ajala je allemaal uitleggen. Wij vertrekken en nemen je geliefde oom mee,' zei Reinold.

Ajala wierp hem een boze blik toe. Ze wilde de prinses helemaal niets uitleggen, ze wilde mee om Rotwardo te ondervragen. Dat was veel belangrijker!

De mannen vertrokken, de tegenstribbelende Rotwardo met zich mee slepend.

'Ik eis een verklaring,' zei de prinses hooghartig. 'Heeft mijn vader dit weer bedacht?'

'Zullen we even gaan zitten?' vroeg Ajala en ze vertelde prinses Amitha alles, op het overspel en de dood van haar moeder na.

Na het gesprek met de prinses, die tot haar verbazing overal begrip voor had behalve dat haar vader haar niets had verteld, daalde Ajala af naar de krochten van het kasteel. De lucht was er klam en rook muf. Haar lichaam schreeuwde van vermoeidheid, maar ze moest de confrontatie met Rotwardo aangaan. Pas als ze zeker wist dat hij was uitgeschakeld, zou ze zich weer veilig voelen. Als ze wist hoe Lanzo gered kon worden, kon ze gaan slapen. Dagenlang slapen...

Voor de cel stonden twee wachters strak in de houding. Binnen was Rotwardo met zijn armen vastgeklonken aan de muur. Zijn koninklijke kleding was hem ontnomen, hij droeg alleen nog zijn linnen ondergoed. Ondanks zijn nederlaag keek hij als een winnaar om zich heen, het hoofd geheven, de kin vooruit en zijn blik vol verachting.

In de hoeken van de cel brandden fakkels die een spookachtig licht op de verrader wierpen. Dit was de man die de Botten had verdorven, die haar als een slechte jachthond op het verkeerde spoor had gezet, die haar had aangevallen met de kracht van de Deemster Vorst. Deze man wilde dat de vuurvlam naar beneden kwam en alles en iedereen zou verzwelgen. Hoe kon je zó vervuld zijn van haat dat je zelfs niets meer om je eigen leven gaf?

'Sluit de deur, Ajala,' droeg Reinold haar op. Hij wenkte haar en fluisterde in een hoek van de cel: 'Hij is niet gevoelig voor mijn vermogen.'

Als het zo gemakkelijk zou zijn, was Rotwardo al lang geleden ontmaskerd, dacht ze. De broer van de koning had zich beschermd met vormen duistere magie waar zij niets vanaf wist, waar zij ook niets vanaf wilde weten. Maar het licht heeft weer gewonnen, dacht ze. Mirmana had haar gered en ervoor gezorgd dat Rotwardo ontmaskerd kon worden. Nu moest zij ervoor zorgen dat Lanzo niet hoefde te sterven.

Ze liep op de verrader af en ging vlak voor hem staan. Ze liet zich niet afschrikken door het venijn in zijn blik of het misselijkmakende gevoel in haar buik. 'Het is voorbij. Je plan is mislukt. Ik wil weten welke vloek jij hebt uitgesproken. Welke krachten heb jij opgeroepen?'

'Krachten die jouw zielige vermogens ver te boven gaan, meisje. Denk je werkelijk dat je gewonnen hebt? Dat je de Deemster Vorst kunt verslaan?'

Ze onderdrukte een huivering. De zwarte banden om haar polsen prikten.

'Hij zal komen en jullie zielige levens wegblazen als een blad in een storm.'

'Het is voorbij. Ik eis antwoorden.'

Toen hij haar aankeek, werd ze overspoeld door pure boosaardigheid, alsof ze door een kolkende rivier werd verzwolgen. 'Nooit zul je antwoorden krijgen. Die neem ik met me mee naar mijn Heer.'

'Dacht je dat we daar genoegen mee nemen?' Reinold kwam naast haar staan.

Ajala verafschuwde martelingen, maar nu ging niets haar te ver om de waarheid uit Rotwardo te krijgen. Het was Lanzo's enige kans. Als het moest, zou ze Reinold helpen.

Achter haar ging de deur van de cel open. Koning Adelhart kwam binnen. Een verslagen, oude man. 'Laat mij alleen met hem.'

Reinold en Ajala lieten hem alleen met de man die zijn broer was. Met haar rug tegen de celdeur leunend, wachtte ze tot de koning klaar was. Vastbesloten de kerkers niet te verlaten zonder antwoorden.

‘Waarom?’ Adelhart liep op hem af. Hij zag eruit alsof hij ieder moment kon instorten. ‘In Mirmana’s naam, waarom? Je bent mijn broer!’

Rotwardo nam de ontredderde blik van de man die hij zo haatte in zich op. Hij was alles kwijt, had na al die jaren van hard werken niets bereikt. Behalve de verslagenheid van zijn broer.

Het kleine serpent leefde nog. Het zwarte vuur dat hij op haar afgeschoten had, was gedoofd in de kapel van die walgelijke lichtgodin. Zijn moment van wraak op haar was voorbij en zijn plannen waren doorzien. Reinold had verteld dat ze wisten dat het om Lanzo draaide en niet om Miron. De jongen zou sterven voordat de Deemster Vorst in zijn lichaam kon neerdalen.

‘Ik praat tegen je. Geef antwoord!’ Adelhart klonk als een radeloos kind. ‘Waarom heb je dit gedaan?’

Omdat je de vrouw van wie ik hield hebt vermoord! dacht hij. ‘Godilla,’ zei hij zacht.

Er vlamde woede op in Adelharts ogen. ‘Jij verrader! Jij hebt alles verloochend waar ik voor stond. Jij hebt alles kapotgemaakt.’

‘Dat heb je zelf gedaan. Jij met je laffe beleid. Jij die alleen op de troon zit omdat hij als eerste geboren is.’ Speeksel vloog met de woorden uit zijn mond.

Adelhart schudde zijn hoofd. Zijn woede leek weer weg te zakken. Zwakkeling! Weekhartig schepsel!

‘Mijn hele leven sta ik in jouw schaduw, heb ik jou moeten dienen. Jij kreeg van alles het beste, zelfs de vrouw die je niet verdiende. Godilla behoorde mij toe. Ik hield van haar en zij van mij. Jij hebt ons leven verwoest, alles kapotgemaakt en ook nog mijn dochter van me afgepakt. Amitha is míjn kind.’

Adelhart trok wit weg en Rotwardo grijnsde. ‘Door jou zal Lanzo sterven.’

Het weekdier stond te trillen op zijn benen.

Met deze kleine overwinning moest hij het doen. Dit was zijn nalatenschap. Hopelijk zouden zijn woorden Adelhart kwellen tot zijn laatste ademtocht.

'Jij zult boeten voor alles wat je mij en anderen hebt aangedaan,' zei de man die zich koning noemde.

Hij wist wat er komen zou. Hij zou het met opgeheven hoofd doorstaan.

HOOFDSTUK XVIII

Mirons hoofd zat vol. Na de afschuwelijke aanslag op Ajala had hij een tijdlang reddeloos verloren rondgelopen door de gangen van het kasteel. Reinold had hem weggestuurd zodat Ajala kon rusten. Miron wilde iets doen, maar hij wist niet wat.

Een bediende kwam naar hem toe en vertelde dat de hertogszoon met hem wilde praten. Met een bonkend hoofd vol vragen liep Miron naar het vertrek van Lanzo. Zou Lanzo meer weten over de moedervlek? Of liet hij hem opdraven om hem een uitbrander te geven? Diep in zijn hart hoopte Miron dat Lanzo hem miste.

Voor de deur van Lanzo's vertrek stond een wachter. Miron fronste zijn wenkbrauwen. 'Mag ik naar binnen?' vroeg hij onzeker.

'Jij hebt toestemming,' zei de wacht.

Toestemming? Hij klopte op de deur en opende hem na een *binnen* van Lanzo. De hertogszoon zat op bed. Hij had een afwezige blik in zijn ogen, alsof hij er niet helemaal bij was. Het duurde even voordat hij Miron aankeek. 'Dank je dat je gekomen bent.' Zijn stem klonk zacht en droevig, zonder een spoor van woede.

Miron wilde een arm om hem heen slaan, maar hield zich in. 'Gaat het goed met je? Kan ik iets voor je doen?'

'Ach, Miron,' zei Lanzo met een zucht.

Miron vond het vreselijk om zijn vriend zo te zien.

'Niemand kan meer iets voor mij doen. Mijn droom komt uit, ik zal een held worden. Alleen niet zoals ik het me had voorgesteld.'

De troosteloosheid in Lanzo's stem bezorgde Miron rillingen. 'Waar heb je het over?'

Lanzo klopte met zijn hand naast zich op bed. Toen Miron zat, zei hij: 'Ik ga je een groot geheim vertellen. Alleen jij mag het weten.'

Dus toch... Het ging om die moedervlek. 'Ben jij de uitverkorene? Ga jij met de prinses trouwen?'

'Ik ben inderdaad de uitverkorene, maar het is niet zoals jij denkt. Ik ga niet met de prinses trouwen. Ik moet sterven om het koninkrijk te redden.'

'Wat?' Miron vloog omhoog.

'Ga zitten. Het is niet erg, ik heb me met mijn lot verzoend. Door mijn leven te geven, zal ik dat van iedereen redden. Ik zal een held worden, bezongen in de mooiste liederen.'

Miron staarde hem met grote ogen aan. 'Wat is dit voor waanzin? Doe eens normaal!'

'Heb je de vuurvlam aan de hemel gezien? Door een vloek trekt mijn lichaam die vuurvlam naar beneden, waardoor hij alles zal verwoesten. Ik moet sterven zodat de vuurvlam aan de hemel blijft.'

'Dat kan niet waar zijn!' gilde Miron.

Lanzo glimlachte triest. 'Je bent te goed voor mij, Miron. Ik heb je als oud vuil behandeld, terwijl je altijd voor me klaarstond. Ik wil maar één ding: het goedmaken met jou. Ik wil niet sterven voordat wij weer vrienden zijn.'

Miron probeerde zijn tranen weg te knipperen, maar het lukte niet. 'Ik ben je vriend, dat ben ik altijd geweest en dat zal ik altijd blijven,' zei hij met een gesmoorde stem.

'Het spijt me zo. Het is stom, maar waar. Als je weet dat je gaat sterven, dan krijg je ineens een heel andere kijk op dingen. Nu pas zie ik in wat belangrijk is.'

Miron keek Lanzo aan. De klank van zijn stem en de blik in

zijn ogen bevielen Miron niet. Dit was niet de Lanzo die hij kende. Die zou nooit zijn gevoelens zo uiten, zo gemakkelijk zijn ongelijk bekennen en zich al helemaal niet opofferen. Wat was er met hem gebeurd? 'Lanzo, je laat dit toch niet gebeuren? Waar is je vechtlust gebleven? We zoeken een andere oplossing.'

'Er is geen keus,' zei Lanzo mat.

'Er is altijd een keus!' schreeuwde Miron. 'Je vraagt of ik je vriend wil zijn. Als vriend laat ik je niet doodgaan. Ik ga met Ajala praten!'

Miron stampte de trappen van de torenkamer op. Hij wist niet wat hij moest denken of voelen. Het kon gewoon niet waar zijn dat Lanzo moest sterven. Afgelopen middag had hij Ajala geholpen, nu moest zij hem helpen.

Hij klopte voorzichtig op de deur van haar werkkamer. Geen reactie. Zou ze slapen? Mocht hij haar wel storen? Ze was bijna vermoord vandaag.

Miron had het gevoel alsof er aan twee kanten aan hem getrokken werd. Lanzo of Ajala? Hij klopte nog een keer en gluurde naar binnen. Niemand. Hij liep de trap weer af en stopte bij de deur van haar privévertrekken. Ook daar geen Ajala. Waar kon ze zijn? Ging het wel goed met haar? Reinold had beloofd haar geen moment alleen te laten. Ze was vast weer aan het werk.

Hij dwaalde door het kasteel, op zoek naar Ajala. Niemand had de hofduider gezien. Ook Reinold was nergens te bekennen. Uiteindelijk liep Miron terug naar haar werkkamer en hing een briefje op de deur met de vraag of ze zo snel mogelijk naar het vertrek van Lanzo wilde komen.

Ajala kwam pas 's avonds laat. Ze had een bleke huid en donkere wallen onder haar holle ogen, alsof ze dagen niet geslapen had.

Miron bood haar een stoel en iets te drinken aan. 'Gaat het met je?'

Ze knikte nauwelijks zichtbaar, alsof die simpele beweging haar al te veel inspanning kostte. 'Miron, ik weet niet hoe ik je kan bedanken. Zonder jou...'

'Je hoeft me niet te bedanken. Ik ben zo blij dat ik op het juiste moment bij je aanklopte. Al hoop ik wel dat jij mij nu wilt helpen. Lanzo mag niet sterven.'

Ajala zuchtte diep. 'Er is intussen al weer zo veel gebeurd... Wat ik nu ga zeggen, is strikt geheim. Wij hebben degene ontmaskerd die alles op zijn geweten heeft. Het is Rotwardo.'

Mirons mond viel open. Rotwardo? De broer van de koning?

'Nee,' fluisterde Lanzo. Zijn ogen waren groot van ongeloof.

'Hij heeft bekend, maar het is niet helemaal zoals ik dacht,' zei Ajala.

Er vlamde hoop in Mirons hart. Hoefde Lanzo niet te sterven?

'Het is zelfs nog erger. De wereld zal niet verwoest worden door de vuurvlam die naar beneden komt, maar door rampspoed en onderdrukking van de Deemster Vorst. Als Lanzo niet sterft, zal de Deemster Vorst neerdalen in zijn lichaam.'

'Wat?' Lanzo sprong op. 'In mijn lijf? Hoe kan dat nou?'

Miron rilde van afgrijzen. De Deemster Vorst...

'Rotwardo is al zijn hele leven jaloers op zijn oudere broer. In de nacht dat prinses Amitha en jij, Lanzo, geboren zijn, heeft hij een vloek uitgesproken. Hij wilde dat het kind dat de koning zo gelukkig maakte, hem zou vernietigen. Zoals jullie weten, stond er die nacht een vuurvlam aan de hemel. Die heeft ervoor gezorgd dat de vloek niet terechtkwam bij prinses Amitha, maar bij jou, Lanzo. Op jouw vijftiende verjaardag zal jouw lichaam niet meer van jou, maar van de Deemster Vorst zijn.'

'Nooit!' Lanzo stampte met zijn voet op de grond om zijn woorden kracht bij te zetten. 'Hij krijgt mijn lichaam niet!'

‘Er is nog meer.’ De toon in Ajala’s stem beloofde niet veel goeds. ‘Het hertogdom Bauenold is nog steeds in gevaar.’

‘Wat?’ riep Lanzo uit. ‘Wat kan ik doen?’ De wazige glans in zijn ogen was verdwenen. Hij leek zichzelf weer.

Ajala schudde haar hoofd. ‘De bodes zijn al onderweg, er is niets wat jij of je vader kunnen doen.’

‘Wat is er aan de hand?’ vroeg Lanzo met ongeduld in zijn stem.

‘Rotwardo heeft bekend dat Walbert niet alleen werkte. De Deemster Vorst heeft duizend zielen nodig om in jouw lichaam neer te dalen.’

Lanzo huiverde. ‘Dus daarom hebben ze de rivieren vergiftigd. Maar we hebben Walbert toch tegengehouden?’

Ajala sloeg haar ogen neer. ‘Blijkbaar is één van Walberts mannen ontsnapt. Hij heeft de Akeli vergiftigd. Iedereen die in aanraking komt met het water van die rivier, zal sterven.’

‘Nee!’ riep Miron. Was hun tocht naar de bergen voor niets geweest? Zouden al die mensen net zo’n afschuwelijk dood sterven als Bor en Eno? Allemaal in naam van de Deemster Vorst?

‘Mama en Insula?’ vroeg Lanzo.

‘Je moeder en zusje zijn veilig. Hun water wordt uit putten gehaald. Dat water is niet afkomstig uit de Akeli.’

‘Als we nu iedereen waarschuwen?’ vroeg Miron. Omdat Ajala en Lanzo hem met opgetrokken wenkbrauwen aankeken, zei hij: ‘Je zei dat de Deemster Vorst duizend zielen nodig had om neer te dalen in Lanzo’s lichaam. Dan hoeven we er alleen voor te zorgen dat hij die zielen niet krijgt. Dan hoeft Lanzo niet te sterven!’ Mirons hart klopte in zijn keel. Hij greep zich vast aan het sprankje hoop dat hij gevonden had.

‘Was het maar zo gemakkelijk,’ zei Ajala met een zucht. ‘Vanochtend vroeg kwamen de eerste bodes al uit het hertogdom met slecht nieuws. Tientallen mensen zijn ziek geworden en vragen de hertog en de koning om hulp. In de loop van de dag kwamen er meer bodes...'

'Dus al die mensen zullen sterven?' vroeg Lanzo.

'Iedereen die met het vergiftigde water in aanraking is geweest, zal sterven. De bodes zullen de mensen waarschuwen voor het water. En er zijn soldaten en heelmeesters gestuurd. Meer kunnen we niet doen.'

'De Deemster Vorst krijgt zijn duizend zielen,' fluisterde Miron. Zijn hoop spatte als een zeepbel uit elkaar. Hij wilde Rotwardo eigenhandig de nek omdraaien.

'Ik moet iets doen,' zei Lanzo. 'We kunnen dit toch niet laten gebeuren?'

Lanzo had gelijk. Ze konden hier niet rustig blijven zitten terwijl er mensen doodgingen!

'Rotwardo heeft bekend welk vergif er gebruikt is. Alle heelmeesters en kruidenvrouwen van het land zijn op zoek naar een tegengif. We doen alles wat we kunnen,' zei Ajala.

Kon ik maar helpen, dacht Miron. Als ik een heelmeester was geweest...

'Ajala,' zei Lanzo, 'ik ga hier niet zitten wachten tot de Deemster Vorst neerdaalt in mijn lichaam. Het kwaad krijgt mijn lichaam niet, wat er ook gebeurt! We moeten de Deemster Vorst tegenhouden.' Lanzo was weer helemaal zichzelf.

Ajala trok nog witter weg door zijn woorden. 'Ik ga aan de slag en zal net zo lang zoeken tot ik een oplossing heb, dat beloof ik je.'

'Ik ga met je mee. Laat me helpen, ik moet iets doen.'

'Dat zal niet gaan, Lanzo,' zei Ajala zacht.

Miron herinnerde zich de wachter voor de deur van het vertrek. Lanzo was een gevangene. Een ter dood veroordeelde.

'Hoe bedoel je?' vroeg de hertogszoon.

'Het spijt me, maar je mag je vertrek niet verlaten.'

‘Zit ik hier opgesloten?’

Ajala stond moeizaam op, alsof ze een oude vrouw was. ‘Ik ga, Lanzo. Als er een andere oplossing is, zal ik die vinden.’ Ze draaide haar rug naar hen toe en vertrok.

Lanzo keek haar verbouwereerd na. ‘Miron, wat moeten we nu?’ Hij liet zijn schouders hangen.

Miron wist niet wat hij moest zeggen.

Later die nacht liep Miron naar de werkkamer van Ajala. Lanzo had hem op een idee gebracht. De hertogszoon wist niet wat hij moest doen: vechten, vluchten of zich erbij neerleggen. Hij had gezegd dat hij liever stierf dan dat de Deemster Vorst zijn lichaam kreeg. Toen had Miron gedacht: ik wou dat ik deze last van je kon overnemen. Dat ik het teken had. Die gedachte bleef door zijn hoofd spoken. Misschien was het niet hopeloos. Misschien was er wel een kans dat hij Lanzo kon redden, zoals een goede page hoorde te doen. Hij had toch niet voor niets ook het teken?

In haar werkkamer streek Ajala haar kletsnatte haren naar achteren en zei: ‘Ik moest even wakker worden, ik heb mijn hoofd in een emmer water ondergedompeld.’

‘Je hoeft je niet te verontschuldigen,’ zei Miron. Ze zag er zo moe en kwetsbaar uit. Eén windvlaag en ze zou omvallen. Hoelang had ze al niet geslapen? Hij wilde dat hij iets voor haar kon doen. Dat hij haar weer onbezorgd kon zien glimlachen.

‘Gaat het een beetje met Lanzo? Ik vind het zo afschuwelijk.’

Hij knikte lauw. ‘Ajala, ik vroeg mij af...’ Miron pauzeerde even. Als hij zijn voorstel uitsprak, kon hij niet meer terug. Maar dit was wat hij wilde. ‘Is het mogelijk om de vloek om te buigen? Ik heb het teken ook. Kun je er niet voor zorgen dat de Deemster Vorst in mijn lichaam neerdaalt? Zodat ik in plaats van Lanzo sterf.’ Hij had dapper willen spreken, maar bij de laatste zin hakkelde hij.

Ajala keek hem hoofdschuddend aan. Ze bleef met haar hoofd schudden terwijl ze dwars door hem heen keek. Miron kreeg er de kriebels van, maar durfde zich niet te bewegen of iets te zeggen.

'De vloek ombuigen,' fluisterde Ajala. 'Er moet iemand sterven.'

Miron bleef stijf als een standbeeld staan. Ineens schudde ze wild haar hoofd en keek hem aan. 'Dank je wel,' zei ze. Er klonk een vleugje hoop in haar stem.

Kan ik echt de plaats van Lanzo innemen? vroeg Miron zich af. En ben ik dan nog wel zo dapper?

'Ik ga het de Botten vragen. Alweer ben jij de sleutel, Miron!' Ze wuifde, wilde hem duidelijk weg hebben.

Miron zat vol vragen, maar durfde ze niet te stellen. Misschien wilde hij ook wel niet weten wat Ajala zou antwoorden.

'Ga! Ik kom zo snel mogelijk naar jullie toe. Zeg nog niets tegen Lanzo, ik wil hem geen hoop geven voordat ik het zeker weet.'

Ajala dacht dat het kon. Miron voelde zich opgelucht en bang tegelijk. Hij zou sterven voor Lanzo. Het is de juiste beslissing, hield hij zichzelf voor.

Adelhart had hem op willen sluiten in de donkerste cel van de kerker. Maar daar had het kleine serpent een stokje voor gestoken. ‘Dat is precies wat hij wil. In het duister van de nacht ligt zijn kracht. Omring hem met licht, veel licht. En laat hem geen moment alleen,’ had ze gezegd. En zoals gewoonlijk liet Adelhart zijn oor weer naar anderen hangen.

Overal om hem heen stonden kaarsen en olielampen. Met zware metalen kettingen hing hij aan zijn armen en benen vastgebonden tegen de muur. Zijn spieren schreeuwden van de pijn door de continue belasting en door alle verwondingen die hem waren toegebracht.

Tijdens de pijnlijke ondervraging had hij ze alles verteld wat ze wilden weten. Het kon hem niets meer schelen. Hij had gefaald en zijn Heer hield niet van mislukkelingen. Zodra hij dood was – hij twijfelde er geen moment aan dat dat zijn lot zou zijn – stond hem een eeuwigheid van kwelling in het Rijk van de Deemster Vorst te wachten.

De vier wachters in zijn cel hielden hem nauwlettend in de gaten. Hij kon nog niet met zijn ogen knipperen of het werd opgemerkt. Hij zuchtte en een van de wachters kwam weifelend dichter bij om te kijken of hij geen duistere magie bedreef.

Ondanks dat hij machteloos was, waren die onderkruipsels bang voor hem. Angst was wat mensen dreef. Door middel van angst kon je de wereld veroveren en mensen beheersen. Hij had zulke grote plannen gehad. Alles was tenietgedaan door een kind. Zelfs toen hij haar in zijn handen had, wist ze hem te ontglippen.

Dromen van wraak, dat was alles wat hij nog kon. Hij had gefaald en nu was het voorbij. Alles was voor niets geweest.

HOOFDSTUK XIX

Zodra Miron weg was, pakte Ajala haar Botten. Er leek weer kracht door haar lichaam te vloeien. Waarom had ze er zelf niet aan gedacht? Gewoon de vloek ombuigen naar iemand anders. Zo simpel! Het was duidelijk wie de plek van Lanzo in zou nemen.

'Rotwardo.' Ze stikte bijna in zijn naam. Tranen schoten in haar ogen. Rotwardo had Odmund vermoord! Met een smalende grijns op zijn gezicht had hij dat tijdens de martelingen bekend, om haar van haar stuk te brengen. Ze had de gloeiend hete pook uit Reinolds handen gegrist en de schoft eigenhandig naar de Deemster Vorst willen sturen. Maar Reinold had haar net op tijd tegengehouden en haar weggestuurd om af te koelen. Nu was ze hem daar dankbaar voor. Maar ze had gezworen dat de moordenaar zijn straf niet zou ontlopen. Al was het het laatste wat ze deed.

Ze schudde de Botten in haar handen en luisterde naar hun lied. Langzaam werd ze weer kalm en kreeg ze haar woede onder controle. Botten, kunnen we de vloek ombuigen naar Rotwardo? Kan hij sterven in plaats van Lanzo?

Ze liet de Botten los en wachtte totdat ze hun plaats hadden ingenomen voordat ze haar ogen opende. Weer een stapel Botten boven op elkaar. Het leek verdacht veel op de vorige duiding. Alleen was de hoop Botten groter.

Ze haalde de stapel uit elkaar. Naast Lanzo, Rotwardo en de dood lagen er drie extra Botten. Het Bot van het leven, het Bot van Mirmana en het zwarte Okeshbot.

Het Bot van leven gaf haar hoop. Dat was nog nooit in de duidingen verschenen. Dat moest op Lanzo slaan en de dood op Rotwardo. Ja, dacht Ajala, zo zou het moeten eindigen.

Maar wat was de betekenis van Mirmana? En waarom dook de Deemster Vorst op in deze legging? En waarom lagen de Botten op een hoop en niet netjes naast elkaar, zodat ze precies wist welke Botten bij elkaar hoorden?

Blijkbaar konden de Botten haar niet vertellen hoe de toekomst er uit zou zien. De elementen waren zeker, de uitkomst niet.

'Dan bepaal ik wel hoe de uitkomst er uitziet.' Rotwardo zou sterven en Lanzo bleef leven. Een andere mogelijkheid weigerde ze onder ogen te zien.

Binnenin haar riep een stemmetje dat het haar taak was om de toekomst te lezen, niet om die te beïnvloeden. 'Ik manipuleer niets, dit is mijn interpretatie.' Ajala negeerde het protest in haar hoofd. Koning Adelhart en Reinold legden regelmatig de dingen uit zoals het hen uitkwam. Waarom zou zij dat niet mogen? Dit was gerechtigheid.

Nog steeds wist ze niet wat ze met het Bot van Mirmana aan moest. Het Bot lag niet in de duiding om het wanneer aan te geven, dus representeerde het de godin zelf. Zou Mirmana aanwezig zijn op de vuurberg? Het klonk niet onlogisch, als tegenwicht voor de Deemster Vorst. Zou er een gevecht plaatsvinden tussen goed en kwaad?

Er gleed een koude rilling over Ajala's rug. Ze begon te begrijpen waarom alle Botten op een hoop lagen. Als het echt een strijd tussen goed en kwaad werd, dan was de uitkomst niet te voorspellen. Dan wilde ze de uitkomst niet van tevoren weten.

Nee! Ze sloeg met haar vuist op tafel en de Botten rammelden. Lanzo bleef leven, Rotwardo zou een vreselijke dood sterven en Mirmana zou overwinnen. Zij moest alleen bedenken hoe ze het lot een handje kon helpen...

Ajala zag scheel van vermoeidheid. Ze had al twee nachten niet geslapen. Het gesprek met koning Adelhart en Reinold was zwaar geweest. Ze had alles in de strijd moeten gooien om hen te overtuigen.

'Het is veel te riskant. Als er iets mis gaat, dan is alles verloren,' had Reinold gezegd.

Ajala vond dat het leven van Lanzo het risico waard was, maar dat zei ze niet. 'Het is gevaarlijk, dat weet ik. Maar de Botten hebben mij laten zien dat dit de enige manier is. Zo moeten we het doen.' Liegen ging haar steeds gemakkelijker af.

Er volgde een verhitte discussie over waarom de Botten eerst hadden gezegd dat Lanzo moest sterven en nu dat hij bleef leven. Ajala had geprobeerd uit te leggen hoe de Voorspellers werkten en dat de toekomst kon veranderen door gebeurtenissen in het heden.

Koning Adelhart had een einde gemaakt aan de discussie. 'Ajala, jij bent de hofduider. Ik vertrouw je. Als jij zegt dat we het zo moeten doen, dan doen we het zo. Maar ik wil wel op het ergste voorbereid zijn. Als het mis gaat...'

'Dan zal Lanzo alsnog sterven,' had ze zelf aangevuld.

Voordat ze ging slapen, wilde ze nog één ding doen. Lanzo en Miron vertellen dat er hoop was. Ook al was het midden in de nacht. Ze klopte aan en er werd meteen gereageerd. Binnen zaten Lanzo en Miron op bed met hun kleren aan.

'Ajala,' zei Miron met een stem vol hoop en angst.

Nu realiseerde ze zich pas dat hij zich vrijwillig had willen opofferen. Ze lachte hem bemoedigend toe, voor zover haar mondhoeken nog omhoog wilden. 'Mag ik erbij komen zitten?' Ze ging op het voeteneind van het bed zitten.

'Is er nieuws?' vroeg Lanzo.

'Er is zeker nieuws. Goed nieuws!'

Lanzo veerde op en Miron kromp ineen.

'Miron, het is niet zoals je denkt.'

Miron keek haar met grote, vragende ogen aan.

'Waar gaat dit over?' wilde de hertogszoon weten.

'Ik had beloofd dat ik net zo lang zou zoeken tot ik een oplossing had. Er is een mogelijkheid...'

'Vertel nou,' onderbrak Lanzo haar.

'Miron heeft mij op het idee gebracht, dus je hebt alles aan hem te danken. Hij vroeg zich af of het niet mogelijk is om de vloek om te buigen, zodat iemand anders jouw plaats kan innemen.'

Het duurde even voordat Lanzo reageerde. 'Nee, dat wil ik niet,' zei hij.

'Dat hoeft ook niet,' zei Ajala. 'Er is maar één persoon die het verdient te sterven en dat is Rotwardo.'

'Kan hij... kan hij de vloek overnemen?' vroeg Miron vol ongeloof.

'Dat gaan we proberen. In de nacht van de donkere maan zullen we met z'n allen op de vuurberg staan. Daar zal ik de vloek van Lanzo op Rotwardo overbrengen. Zodra de Deemster Vorst bezit neemt van zijn lichaam, gooien we hem in de vuurberg.'

'En Lanzo?' vroeg Miron.

'Rotwardo heeft zich jarenlang met de kracht van de Deemster Vorst verborgen weten te houden. Nu wil ik het omgekeerde doen: in Mirmana's naam zal ik Lanzo verbergen. Dan kan de Deemster Vorst geen kant op, alleen naar het lichaam van Rotwardo. En dan zullen we met beide heerschappen tegelijk afrekenen.' Ajala had er lang genoeg over nagedacht. Op deze manier speelden alle Botten uit de duiding een rol. Rotwardo en de Deemster Vorst zouden sterven en Lanzo zou leven met de hulp van Mirmana. Precies zoals de Botten voorspeld hadden. Min of meer, dan.

'Kun je dat echt, Ajala? Kun je de vloek ombuigen?' vroeg Lanzo.

Die vraag had ze zichzelf ook al honderd keer gesteld. Er was geen ruimte voor twijfel. 'Dit is wat de Botten mij hebben laten zien.'

'Maar dan zal de Deemster Vorst daadwerkelijk komen,' fluisterde Miron.

'Wij láten hem komen, dat is het verschil. Er zal een heel regiment wachters meegaan om ervoor te zorgen dat Rotwardo in de vuurberg terechtkomt. Hij en de Deemster Vorst zullen niet ontsnappen.'

'Anders zorg ik daar wel voor,' zei Lanzo stellig.

Ajala glimlachte. Wat was ze blij dat ze hem nog een kans kon geven. Als het allemaal niet als gepland zou lopen, als de Deemster Vorst tóch in het lichaam van Lanzo zou neerdalen, dan zou de hertogszoon alsnog moeten sterven. Maar dat hoefde ze nu niet te zeggen. Nu ging ze eindelijk slapen.

De laatste stralen van de zon kleurden de hemel rood. Stof, zweet en gruis plakten aan haar hele lichaam. Het zweet liep in straaltjes over haar voorhoofd en rug. Al vanaf het eerste ochtendlicht waren ze op pad. Aan het eind van de middag hadden ze de vuurberg bereikt. Een slapend, grijs monster dat hen met een grauwe gaswolk verwelkomde.

De klim had Ajala uitgeput. Haar voeten zonken diep weg in de as en gleden uit over puin of kleine rotsblokken waarmee de mantel van de vuurberg bedekt was. Er was geen lichaamsdeel dat niet geschaafd, geschuurd of geschramd was. Hijgend nam ze de omgeving in zich op. De vuurberg was zo hoog dat ze het idee had dat ze de hemel kon aanraken en het hele koninkrijk aan haar voeten lag. Besneeuwde berghellingen lagen om de vuurberg heen. Heel in de verte ving ze een glimp op van de zee.

Ajala zette een paar onvaste stappen naar de rand van de krater en blikte de diepte in. Daar kolkte een geeloranje massa. Fijne, hete asdeeltjes dwarrelden omhoog en vielen op haar neer als een hete regenbui.

De krater was de muil van het vuurbergmonster. Een monster dat Rotwardo en de Deemster Vorst zal verslinden, dacht ze. Een verzengende stank, als van rotte eieren, benam haar de adem.

Lanzo stond afgezonderd van de rest naar beneden te kijken. Zijn gezicht zat onder de grijze vegen. Hij wist dat de kans bestond dat hij zou eindigen in de muil van het monster. Reinold en de wachters zouden geen enkel risico nemen. Ajala was blij dat die verantwoordelijkheid niet op haar schouders rustte. Alhoewel, alles hing van haar af. Als zij het niet goed zou doen...

Miron liep naar Lanzo toe en trok hem weg bij de rand. Koning Adelhart, prins Willeman, prinses Amitha, Reinold en de hertog gingen bij hen staan. De lucht leek nog benauwder te worden, alsof Ajala met de aanwezigen was opgesloten in een klein hokje. Ajala duwde haar nagels in haar handpalmen tot het pijn deed.

'Vannacht zal de spannendste nacht van dit koninkrijk worden,' sprak de koning. 'Niet eerder was de dreiging van de Deemster Vorst zo groot en reëel. Mijn broer,' het woord kwam als een vloek uit zijn mond, 'heeft zich verbonden met het kwaad en heeft honderden onschuldige levens op zijn geweten. Ik veroordeel hem tot de dood in de vuurberg.'

Koning Adelhart liep naar Lanzo toe. 'Jongen, jij hebt het meest te verliezen vandaag. Toch sta je hier, dapper, sterk en flink, als een echte held.'

Lanzo leek te groeien door de woorden van de koning.

'Mocht het misgaan, weet dan dat ik, mijn familie en het hele koninkrijk, je voor eeuwig dankbaar zullen zijn. Kniel.'

Wat gebeurde er? vroeg Ajala zich af. Hier hadden ze niets over afgesproken.

Lanzo keek Miron kort aan voordat hij op één knie neerzakte. Koning Adelhart haalde zijn zwaard uit het gevest en legde het met de platte kant op Lanzo's rechterschouder. 'Hierbij sla ik je tot ridder.' Het zwaard werd verplaatst naar de linkerschouder. 'Ridder Lanzo de Onverschrokkene.' Prins Willeman gaf zijn vader de ring die iedere ridder droeg, een zilveren ring met een lichtgroene smaragd in de vorm van een halve maan. Terwijl de koning de ring om Lanzo's duim schoof, sprongen de tranen in Lanzo's ogen. Ook de hertog hield het niet droog. Hij klopte zijn zoon op zijn schouders.

'Driemaal hoera voor Lanzo de Onverschrokkene,' riep de koning.

'Hoera, hoera, hoera!' riep iedereen. Miron viel zijn vriend in de armen.

Ajala glimlachte. Ridder Lanzo.

Het donker van de nacht wikkelde zich als een dichte doek om hen heen, ondanks het licht van de vuurvlam en de gloed uit de krater. Ze gebaarde de wachters dat ze dichter bij moesten komen met Rotwardo. De mannen staken fakkels aan waardoor het donker verdreven werd en het vertrokken gezicht van de verrader oplichtte. Zijn haren plakten in vette slierten om zijn gehavende gezicht en iedere beweging leek hem pijn te doen. Toch had hij nog steeds een duistere blik in zijn ogen.

'Ontbloot zijn bovenlichaam,' beval Ajala en een wachter rukte de kleren van Rotwardo's bovenlijf. Rotwardo protesteerde maar werd in bedwang gehouden door twee andere wachters.

'Lanzo,' zei Ajala zacht. De hertogszoon kwam met opgeheven hoofd naar haar toe. Hij wist wat hem te doen stond, want ze hadden het zorgvuldig doorgenomen.

Ze wikkelde de doek van het rituele, zwarte mes dat ze in Rotwardo's kist had gevonden. Alle haartjes op haar armen stonden rechtop. Dit mes was met duistere krachten verbonden. Het was voor afschuwelijke zaken gebruikt en vanavond zou het nogmaals bloed doen vloeien.

Lang had Ajala getwijfeld. Kon ze de vloek ombuigen in naam van Mirmana? Of moest ze gebruikmaken van duistere magie? De vloek was in woede uitgesproken en moest met diezelfde kracht worden doorgegeven. Lanzo had gevraagd of hij de woorden mocht spreken. Niemand zou zijn woede beter op Rotwardo kunnen richten dan hij, al dacht Ajala dat zij het er ook niet verkeerd vanaf zou brengen. Ze haatte Rotwardo tot in het diepst van haar ziel. Hij had Odmund vermoord en haar bijna. Door hem waren honderden onschuldige mensen in het hertogdom Bauenold gestorven. Door hem zou Lanzo het misschien niet overleven. Hij verdiende ergere dingen dan zij kon bedenken.

'Ben je er klaar voor?' vroeg ze aan Lanzo. De hertogszoon knikte en ze gaf hem het rituele mes. Lanzo's gezicht verstrakte toen hij het aanpakte, maar de vastberadenheid in zijn ogen bleef.

Stilte daalde neer over de vuurberg. De ademhalingen van de aanwezigen verdwenen in de nacht. Het gerommel in de berg verstomde. Zelfs Rotwardo stopte met zijn geworstel om los te komen.

Lanzo maakte met het mes een snee in zijn linkerwijsvinger. Hij huiverde en liet het mes vallen alsof hij zich gebrand had. Ajala pakte zijn hand. Samen zouden ze sterk staan. 'Concentreer je op je woede,' fluisterde ze.

Lanzo bracht zijn bloedende vinger naar de borst van Rotwardo. 'Met dit bloed teken ik jou.' Hij tekende een vierpuntige kroon. 'Heer van de Schemering, hoor mij aan. Deze man zal boeten voor alles wat hij mij, mijn vader, onschuldige mensen en de mensen die ik liefheb, heeft aangedaan. Deze man zit vol haat, wraakgevoelens en woede. Deze man zal u het lichaam bieden waar u zo naar verlangt.'

Ajala moedigde hem met een kneepje in zijn hand aan om door te gaan. Lanzo liet haar hand los en pakte het mes van de grond. Met het mes sneed hij het teken van de vierpuntige kroon diep in de borst van de verrader, die door de prop in zijn mond heen schreeuwde. Ajala dacht aan de pijn die alle mensen in het hertogdom Bauenold geleden hadden toen ze stierven door het gif. Aan de pijn die zij gevoeld had toen ze werd aangevallen door het zwarte vuur. Ze wilde het mes diep in Rotwardo's hart stoten. Gefascineerd keek ze toe hoe het bloed van Lanzo zich met dat van Rotwardo vermengde.

'Ik vervloek de man die mij vervloekt heeft. Met de kracht van de woede in mij en de vuurvlam boven mij geef ik de vloek door aan de man met het teken van mijn bloed. In deze man zal de Deemster Vorst neerdalen. Vannacht!'

De lucht trilde en gonsde. Lanzo en Rotwardo zakten tegelijkertijd door hun benen heen, hun lichamen vielen tegen elkaar aan.

Ajala trok Lanzo weg van de verrader, die door de wachters omhoog werd gesleurd. Lanzo lag lijkbleek in haar armen, zijn ogen gesloten. Mensen dromden om haar heen. Miron zakte op zijn knieën en schudde Lanzo heen en weer. 'Lanzo, gaat het?'

Kreunend opende hij zijn ogen. Even keek hij verdwaasd rond, maar al snel verscheen de vertrouwde grijns op zijn gezicht. 'Volgens mij is het gelukt,' zei hij een beetje schor.

'Dat denk ik ook,' mompelde ze.

Rotwardo kreunde toen hij bijkwam. 'Bind zijn benen vast en leg hem op de rand van de krater,' zei Ajala. Ze trok Lanzo aan zijn mouw mee, weg bij de verrader. Reinold bleef met de wachters bij Rotwardo, de anderen liepen met haar mee.

'Is het gelukt?' vroeg de koning.

'Ik hoop het,' antwoordde Ajala. Met haar hand verzocht ze om meer ruimte. Waarom moest iedereen zo om haar en Lanzo heen staan? De koning begreep de hint en nam de prins, de prinses en de hertog mee. Zij bleef achter met Lanzo en Miron.

Ajala bracht haar handen naar haar hals en maakte haar ketting los. 'Mirmana zal je beschermen,' zei ze terwijl ze de ketting om Lanzo's nek hing. Ze voelde zich naakt zonder de bescherming van de godin.

Lanzo klemde zijn vuist om de hanger en knikte haar toe. 'Dank je wel.'

Ajala ging voor de hertogszoon staan en Miron achter hem. Met hun handen in elkaar vormden ze een gesloten cirkel om Lanzo heen. 'Wij zullen je beschermen, Mirmana zal je verbergen,' zei ze.

'Mocht het misgaan, Ajala, dan wil ik dat je weet...'

'Het gaat niet mis. Concentreer je en bid tot Mirmana. Wat er ook gebeurt, wat je straks ook hoort, blijf bidden en houd je ogen dicht. Denk aan alle leuke momenten in je leven. Zorg dat er geen sprankje duister in je geest is, dan zal de Deemster Vorst je niet kunnen vinden.' Ze stopte al haar overtuigingskracht in haar stem, ook al zat ze vol twijfels.

'Met jou en Miron bij me, gaat dat lukken. Ik denk aan jullie en aan onze vriendschap,' zei Lanzo en hij sloot zijn ogen. 'Miron, bedankt dat je er bent,' zei hij nog.

De prinses stapte naar voren. 'Ik wil ook helpen om Lanzo te beschermen.'

'Wij bidden dat Mirmana Lanzo beschermt en vormen een muur van vriendschap waar de Deemster Vorst niet doorheen kan komen, wat er ook gebeurt. Het kan gevaarlijk zijn, begrijp je dat?'

Prinses Amitha knikte. 'Ik ben er klaar voor.'

Met een zucht gaf Ajala toe. Ze namen prinses Amitha op in de kring. 'Ik weet niet wanneer de Deemster Vorst komt, maar we beginnen nu. Verbreek onder geen beding de cirkel.' Ajala voelde de spanning met iedere slag van haar hart toenemen.

Ze sloot haar ogen en bad tot Mirmana dat Lanzo zou blijven leven, dat de vloek goed was overgedragen, dat Rotwardo en de Deemster Vorst in de vuurberg zouden sterven. Gebed na gebed na gebed. Ze verloor al haar gevoel van tijd.

De lucht verdichtte zich. Ajala ademde moeizaam. Er was iets, iets kwaadaardigs. Haar spieren spanden zich, alsof ze klaar was om aan te vallen. Mirmana, help mij, help ons, bad ze.

Ze gluurde tussen haar wimpers door. Rotwardo lag doodstil op de rand van de krater, Reinold en tien wachters stonden klaar om hem in de vuurberg te werpen. Op veilige afstand stonden de koning, de prins en de hertog, omringd door wachters. Niemand leek de dreiging op te merken.

Haar polsen prikten. Ajala blikte naar boven en haar adem stokte. Goede Mirmana! Een wolk, duisterder dan het diepste zwart, kwam op hen af. Ze rilde van afschuw, het zweet brak haar uit en ze beet haar tanden op elkaar om het niet uit te schreeuwen. Golven van woede, pijn, jaloezie, verdriet en haat stroomden door haar heen. Het kwaad daalde neer.

Mirmana, help mij, help mij, gilde ze in gedachten.

De wolk kromp ineen, verzamelde zich tot een machtig, duister kwaad en cirkelde boven hen, alsof het iets zocht. Miron en Amitha trilden, leken bijna flauw te vallen. Ajala kneep stevig in hun hand. Ze moesten het volhouden. De cirkel mocht niet verbroken worden!

Mirmana, help ons, bescherm Lanzo. Mirmana, help ons, bescherm Lanzo.

Alleen het herhalen van de woorden in haar hoofd hield Ajala overeind. De pijn leek op de aanraking van de zwarte wolk in haar werkkamer. Ajala wilde vluchten, zo snel mogelijk zo ver als maar kon bij het kwaad vandaan. Maar ze moest volhouden, voor Lanzo.

Het kwaad kwam haar kant op, raakte haar aan. De tranen liepen over haar wangen. Het was alsof haar huid in brand stond, alsof ze van binnenuit met een mes werd opengesneden, alsof het zwarte vuur haar zou verzengen. Ze mocht niet opgeven, dan zou Lanzo verloren zijn. Mirmana, help mij!

Het kwaad liet haar los en zweefde naar de rand van de krater. De pijn ebde weg. Ajala hield haar adem in. Ja, ja, ga naar Rotwardo, probeerde ze de wolk te sturen.

De wolk cirkelde om Rotwardo heen en bleef boven zijn borst hangen. Langzaam werd de wolk langer, even lang als Rotwardo en zakte naar beneden. Een zwarte, menselijke figuur hing boven het lichaam van de verrader. Geleidelijk zakte die zwarte persoon in het lichaam van de broer van de koning.

Rotwardo kronkelde heen en weer. Zijn gezicht was verwrongen. Reinold en de wachters keken naar de gesmoord gillende Rotwardo, maar deden niets. De zwarte wolk verdween in het lichaam van de verrader.

'Nu!' gilde Ajala. 'Gooi hem over de rand!'

Reinold en de wachters stonden als versteend. Zagen ze het dan niet? Waarom deden ze niets?

'NU!' Ajala krijste. Ze liet de handen van prinses Amitha en Miron los en gaf ze aan elkaar. 'Blijf om Lanzo heen staan,' beet ze hen toe en rende naar de rand van de krater.

Rotwardo brak los uit zijn boeien. Hij brulde alsof zijn lichaam binnenstebuiten werd gekeerd. Maaiend sloeg hij om zich heen. Een rode gloed scheen uit zijn ogen.

Eindelijk kwam Reinold in beweging, langzaam, alsof hij slaapdronken was. Rotwardo greep de raadsheer vast en gooide hem door de lucht alsof hij niet meer was dan een lappenpop. Met een ijselijke gil viel Reinold in de krater.

Ajala kokhalsde. 'Reinold!' Ze wurmde zich langs de nog steeds versteende bewakers heen. Op de grond lag het mes met het zwarte heft. Rotwardo haalde naar haar uit. Ze liet zichzelf vallen en greep in één beweging het mes van de grond. Ze verzamelde al haar woede en al haar haat en stootte het mes in de borst van de verrader. 'Sterf!' gilde ze.

Rotwardo loeide als een koe die geslacht werd. Hij klauwde haar gezicht open en greep haar bij haar pols. Haar pols leek verpulverd te worden. Ze viel bijna flauw van de pijn. Ajala greep zich vast aan de pijn en hakte op Rotwardo in met het mes. Toen zijn greep verslapte, trapte ze met alle kracht die ze in zich had in zijn kruis.

Rotwardo tuimelde achterover. Ajala schopte hem nog eens, recht tegen zijn borst. Zijn rode ogen vingen de hare en ze voelde hoe haar lichaam zonder het te willen voorover leunde, hoe haar handen zich uitstrekten...

'Ajala!' Mirons kreet verbrak de duistere betovering. Met een snelle beweging duwde ze de wankelende Rotwardo over de rand. Zijn langgerekte schreeuw werd scherp afgesneden toen zijn hoofd in de hete brij terecht kwam. Waar hij de lava raakte, stegen zwarte flarden op. Langzaam werd Rotwardo verslonden door de kolkende massa. Ajala kon haar blik niet afwenden, hij leek vastgenageld aan Rotwardo's spartelende benen. Zodra het laatste stukje van de verrader verdwenen was, steeg er een grote, zwarte wolk omhoog. Ajala strompelde achteruit. De wolk vervormde, kreeg flarden van armen die naar haar grepen. Ze dook weg en de wolkarmen grepen in het niets. De slierten losten op en de wolk steeg, verdween geleidelijk in de nachtelijke hemel.

Ajala zakte door haar knieën. Ze strekte haar hand naar de mond van de krater.

Hollende voetstappen kwamen haar kant op. Koning Adelhart knielde naast haar neer. 'Ajala, het spijt me, ik kon me niet meer bewegen. Het leek alsof het kwaad ons allemaal in zijn greep had,' zei hij met een geknepen stem. 'Reinold...'

Ajala schudde haar hoofd. Reinold was de enige die wel in beweging was gekomen. Hij had dat met de dood moeten bekopen. Ze trilde onbeheerst.

Lanzo en Miron kwamen bij haar zitten. Miron drukte haar tegen zich aan. 'Je hebt ons allemaal gered,' fluisterde hij.

Jij hebt mij gered, voor de tweede keer, wilde ze zeggen, maar haar stem weigerde.

Ajala zat naast koning Adelhart op het verhoogde gedeelte van de troonzaal. Hij oogde net zo vermoeid als zij zich voelde. Aan zijn andere kant was een lege plek die Ajala probeerde te vermijden, maar het leek wel alsof haar ogen er steeds naartoe getrokken werden.

Hogere en lagere edelen genoten aan lange tafels van het feestmaal, terwijl rondrennende bedienden ervoor zorgden dat niemand iets tekort kwam.

De koning tikte met een lepel tegen zijn kristallen glas en stond op. 'Dames en heren...'

De gesprekken in de zaal verstomden.

'Ik heb velen van u al naar deze tafel zien gluren. Bekende gezichten ontbreken en nieuwe gezichten zijn aangeschoven. Ik heb u veel te vertellen. Afgelopen nacht zijn wij ontsnapt aan een vreselijk kwaad...'

Ajala sloot zich af voor de toespraak van de koning. Ze hoefde niet te horen hoe Odmund en Reinold hun leven gegeven hadden voor het koninkrijk. De wond was nog veel te vers. Ze wist niet meer hoe ze thuisgekomen waren vanochtend. Ze wist alleen dat de koning besloten had zo snel mogelijk de plek des onheils te verlaten. Doodmoe was ze in bed geploft en had geslapen tot ze gewekt werd door een bediende. Nadat ze zich had aangekleed voor het feest, kwam Nitard haar goed nieuws brengen. Er was een tegengif gevonden. De Akeli was niet langer giftig en de mensen die nog niet gestorven waren, zouden opknappen.

'Hef jullie glas met mij en drink. Op Odmund, Reinold en alle andere mensen die gestorven zijn!' zei de koning.

De aanwezigen knikten of bromden instemmend en hieven hun glas. Ajala nipte aan haar glas terwijl haar blik over haar polsen gleed, waar twee kleurige repen stof omheen gewikkeld waren om de zwarte huid te verhullen. Ze zou het teken van het kwaad de rest van haar leven moeten verbergen.

'Vul de glazen bij,' gebood de koning. 'Ik wil een tweede heildronk uitbrengen.'

De bedienden renden heen en weer en toen iedereen voorzien was, ging koning Adelhart verder. 'Ik wil drie mensen bedanken voor hun uitzonderlijke moed en prestatie. Zonder hen zaten wij hier niet. Een van hen is vannacht al geridderd, het wordt tijd om de andere twee te belonen.' De koning kwam achter de tafel vandaan en liep naar voren. 'Ajala en Miron, willen jullie hier komen?'

Ajala keek verschrikt op. Ze zocht steun in de ogen van Miron, maar die keek heel geïnteresseerd naar zijn handen. Lanzo gaf zijn vriend een duw en Miron stond op. Ajala volgde zijn voorbeeld en samen namen ze plaats voor de koning.

'Ajala en Miron, kniel.'

Ajala vervloekte de vele lagen van haar jurk die haar verhinderden fatsoenlijk te knielen. Miron stak haar een helpende hand toe.

De koning legde zijn zwaard op de rechterschouder van Miron. 'Hierbij sla ik je tot ridder.' Het zwaard werd verplaatst naar de linkerschouder. 'Ridder Miron de Hulpvaardige. Vanaf morgen krijg jij een leerplek bij de heelmeester van het hof.'

Miron sloeg zijn ogen neer. Zijn wangen waren vuurrood.

'Hierbij sla ik jou tot de eerste vrouwelijke ridder van mijn koninkrijk.'

Ajala's mond voelde kurkdroog aan. Ze boog haar hoofd.

'Ridder Ajala de Volhardende.'

Ajala kon haar oren niet geloven. Zij een ridder!

'Sta op en neem het applaus in ontvangst. Het koninkrijk is jullie eeuwig dankbaar en zal goed voor jullie en jullie toekomstige nazaten zorgen.'

Toen de koning de ring met de halve maan om haar vinger schoof, kreeg ze weke knieën.

'Driemaal hoera voor ridder Miron de Hulpvaardige en ridder Ajala de Volhardende.' Koning Adelhart hief zijn glas en dronk.

Een woest applaus brak los uit de zaal en de koning gebaarde dat ze terug mochten naar hun plaatsen. Ajala wist niet hoe snel ze weer moest gaan zitten.

'Wij zijn vandaag bijeen om de verjaardag van mijn dochter, prinses Amitha te vieren. De vuurvlam aan de hemel kondigde haar verloving aan. Gezien de omstandigheden hebben wij besloten de verloving uit te stellen. Wij hopen dat prinses Amitha en ridder Lanzo de Onverschrokkene elkaar beter zullen leren kennen zodat we volgend jaar een echt verlovingsfeest kunnen vieren.' De koning glimlachte breed en vanuit de troonzaal kwamen schunnige opmerkingen en gefluit. Prinses Amitha en Lanzo zagen eruit alsof ze door de grond wilden zakken.

'Laten we dan nu feesten op de goede afloop en op alle avonturen die deze jonge ridders nog gaan beleven. Muziek! De eerste dans is voor mijn dochter en ridder Lanzo,' riep de koning.

'Wat denk jij?' vroeg Miron terwijl hij met zijn hoofd naar prinses Amitha en Lanzo knikte die onwennig tegenover elkaar op de dansvloer stonden.

'Het gaat helemaal goed komen met die twee,' antwoordde ze.

'Hmmm. Ajala?' Mirons wangen kleurden rood en hij schudde zijn hoofd, alsof zijn vraag niet meer belangrijk was.

'Ja, ik wil graag met je dansen.'

Mirons mond viel open.

'Ik ben niet voor niets de hofduider,' zei ze en ze pakte lachend zijn hand.